The Secret®

O PODER

The Secret®

O PODER

Rhonda Byrne

AGIR

Tradução
Lina Rosa
Janaína Senna

Produção editorial
Ana Carla Sousa

Revisão
Guilherme Bernardo

Diagramação
DTPhoenix Editorial

CIP-Brasil. Catalogação na fonte. Sindicato Nacional dos Editores de Livros, RJ.

B999p Byrne, Rhonda
The Power / Rhonda Byrne; tradução de Lina Rosa, Janaína Senna. — Rio de Janeiro: Agir, 2010.

Tradução de: The Power
ISBN 978-85-220-1230-5

1. Sucesso - Aspectos psicológicos. 2. Realização pessoal. 3. Poder I. Título. II. Título: The Power

CDD: 158.1
CDU: 159.947

Texto estabelecido segundo o Acordo Ortográfico da Língua Portuguesa de 1990, em vigor no Brasil desde 2009.

Rua Nova Jerusalém, 345 - CEP 21042-235 - Bonsucesso - Rio de Janeiro - RJ
Tel.: (21) 3882-8200 - Fax: (21) 3882-8212/8313
www.ediouro.com.br

Esta é a causa da perfeição de todas as coisas no Universo.

Tábua de Esmeralda (C. 3000 A.C.)

Este livro é dedicado a você.

Sumário

Prefácio

Eu nunca vou esquecer o dia 9 de setembro de 2004. De manhã, quando acordei, parecia uma quinta-feira como outra qualquer, mas esse se tornaria o dia mais importante da minha vida.

Como a grande maioria das pessoas, sempre lutei muito e dei o maior duro para sobreviver, lidando com as dificuldades e os obstáculos da maneira que podia. Mas 2004 estava sendo um ano particularmente difícil, e cheguei ao fundo do poço nesse dia 9 de setembro. Meus relacionamentos, minha saúde, carreira e finanças, tudo na minha vida estava num estado lamentável. E eu não conseguia vislumbrar nenhuma maneira de vencer todas essas dificuldades. Mas aí aconteceu!

Minha filha me deu um livro publicado há quase cem anos, e, durante a hora e meia em que o li, minha vida mudou completamente. Entendi por que as coisas aconteciam e soube, naquele exato momento, o que fazer para transformar tudo naquilo que eu desejava.

Descobri um segredo, um segredo que havia sido transmitido através dos séculos, mas que muito poucas pessoas conheceram em toda a história.

Desse momento em diante, comecei a ver o mundo de uma maneira diferente. Tudo que eu acreditava sobre o modo como a vida funcionava era exatamente o *oposto* do que de fato era. Passei anos crendo que, na vida, as coisas simplesmente acontecem conosco. Mas agora consigo ver uma verdade incrível.

E percebo também que a maioria das pessoas não conhece esse segredo; por isso decidi compartilhá-lo com você. Contra todos os obstáculos fiz o filme *The Secret — O Segredo*, lançado em 2006. Nesse mesmo ano, escrevi o livro *The Secret — O Segredo*, que me permitiu divulgar um pouco mais do que eu havia descoberto.

Publiquei o livro, viajei muito e estive com milhares de pessoas no mundo inteiro. Hoje, mais de dez milhões já mudaram suas vidas usando esse conhecimento.

À medida que as pessoas foram aprendendo a mudar suas vidas com *The Secret — O Segredo*, elas quiseram compartilhar suas histórias comigo, e aí intui um pouco mais sobre por que passamos por tantas dificuldades. Através dessas intuições veio o conhecimento de *The Power — O Poder*, que pode mudar vidas da noite para o dia.

The Secret — O Segredo revelou a Lei da Atração, a mais poderosa lei que governa nossas vidas. *The Power — O Poder* contém a essência de tudo o que aprendi desde que *The Secret — O segredo* foi lançado em 2006. Com *The Power — O Poder* você vai entender que só precisa de uma única coisa para transformar seus relacionamentos, suas finanças, sua saúde, sua carreira — enfim, sua vida inteira.

Você não precisa ler *The Secret — O Segredo* para que *The Power — O Poder* transforme sua vida. Tudo o que você precisa saber está aqui neste livro. Mas, se você já leu *The Secret — O Segredo*, então este livro vai lhe dar muito mais conhecimento.

Há muito a compreender. Há muito a entender sobre você e sobre a vida em si. E tudo é bom. Na verdade é mais do que bom, tudo é maravilhoso!

Agradecimentos

Meus mais sinceros agradecimentos aos grandes seres humanos da História, que se arriscaram para garantir que o conhecimento e a verdade da vida fossem preservados para as gerações futuras.

Quero agradecer a todas as pessoas que contribuíram para que este livro se tornasse o que ele é: a Skye Byrne, pelas incríveis sugestões ao texto; Skye e Jan Child me deram contribuições valiosas, me orientaram e encorajaram. A Josh Gold, pela incansável pesquisa histórica e científica; a Shamus Hoare, da Gozer Media, e a Nic George, pelo projeto gráfico deste livro. Nic também foi responsável pela arte e pelas ilustrações, e se dedicou com carinho a criar um livro lindo e poderoso, que irá tocar todas as pessoas que o tiverem em mãos.

Minha gratidão mais sincera aos meus editores da Simon & Schuster: a Carolyn Reidy e Judith Curr, pela fé e boa vontade em abrir seus corações e mentes ao novo, de modo que juntas poderemos levar alegria a milhões de pessoas. À minha editora Leslie Meredith, que fez de todo o processo uma alegria completa; aos revisores Peg Haller, Kimberly Goldstein e

Isolde Sauer; e a toda a equipe da Simon & Schuster — Dennis Eulau, Lisa Keim, Eileen Ahearn, Darlene DeLillo, Twisne Fan, Kitt Reckord e Donna Loffredo — pelo seu trabalho incansável.

A Paul Harrington, Jan Child, Donald Zyck, Andrea Keir, Glenda Bell, Mark O'Connor, Damian Corboy, Daniel Kerr, Tim Patterson, Hayley Byrne, Cameron Boyle, Kim Vernon, Chye Lee, Lori Sharapov, Skye Byrne, Josh Gold, Nic George, Laura Jensen e Peter Byrne, meus colegas de trabalho e queridos amigos da equipe de *The Secret — O Segredo*, o meu amor e gratidão pela coragem em abrir suas mentes a todas as possibilidades e em vencer os desafios que nos permitiram trazer mais alegria a este mundo.

A meus advogados, Michael Gardiner e Susan Seah, da Gardiner Seah, e a Brad Brian e Luis Li, da Munger Tolles, meus sinceros agradecimentos por sua orientação e aconselhamento, por serem um exemplo de integridade e respeito à verdade e por me darem confiança.

A meus queridos amigos Elaine Bate, Bridget Murphy, Paul Suding, Mark Weaver, Fred Naider, Dani Hahn, Bobby Webb, James Sinclair, George Vernon, Carmen Vasquez, Helmer Largaespada, por sempre me fazerem ver a grandeza de tudo. E a Angel Martin Velayos, cuja luz e fé me elevam espiritualmente, de modo que me sinto capaz de realizar meu sonho de trazer mais alegria para este mundo.

A minhas filhas Hayley e Skye, que me ensinam muito e iluminam minha vida com sua presença todos os dias, e a minhas irmãs Pauline, Glenda, Jan e Kaye, pelo amor incondicional e por me apoiarem nos momentos bons e nos momentos difíceis. A morte repentina de nosso pai em 2004 me fez descobrir O Segredo. Enquanto escrevia este livro, nossa mãe, nossa melhor amiga, faleceu, nos deixou aqui para continuarmos este caminho sem ela e sermos as melhores pessoas que pudermos, com um amor incondicional capaz de fazer a diferença no mundo.

Do fundo do meu coração, obrigada, mãe, por tudo.

INTRODUÇÃO

O seu destino é ter uma vida incrível.

O seu destino é ter tudo o que você ama e deseja. O seu destino é ter um trabalho que o empolgue. O seu destino é alcançar todas as coisas que você gostaria de alcançar. O seu destino é viver feliz junto com sua família e amigos. O seu destino é ter todo o dinheiro que você necessita para levar uma vida plena e maravilhosa. O seu destino é realizar os seus sonhos, todos eles! Se você quer viajar, o seu destino é viajar. Se você adoraria abrir o próprio negócio, o seu destino é abrir o próprio negócio. Se você adoraria aprender a dançar ou a velejar ou a falar italiano, o seu destino é fazer exatamente isso. Se você adoraria ser músico, cientista, homem de negócios, inventor, ator ou atriz, pai ou mãe, o seu destino é ser o que você deseja ser.

Ao acordar pela manhã todos os dias, você deveria se sentir cheio de entusiasmo porque você *sabe* que o dia pela frente será repleto de coisas maravilhosas. O seu destino é rir e ser alegre. O seu destino é se sentir forte e seguro. O seu destino é se sentir bem consigo mesmo e saber que você tem um grande valor. É claro que existem desafios na vida, e o seu destino também é ter desafios, porque eles nos ajudam a crescer, mas o seu destino é saber como superar os obstáculos e vencer os desafios. O seu destino é ser vitorioso. O seu destino é ser feliz. O seu destino é ter uma vida incrível.

Você não nasceu para lutar. Você não nasceu para ter uma vida com poucos e esparsos momentos de alegria.

Você não nasceu para dar duro no trabalho cinco dias na semana e ter fugidios momentos de felicidade nos fins de semana. Você não nasceu para viver sem energia, chegando ao fim do dia exausto. Você não nasceu para se preocupar e ter medo. Você não nasceu para sofrer. Qual seria então o propósito da vida? O nosso destino é viver uma vida em sua plenitude, ter tudo o que desejamos e, além disso, sermos alegres, saudáveis, cheios de vitalidade, entusiasmo e amor, porque essa é uma vida incrível.

A vida dos seus sonhos, tudo o que você adoraria ser, fazer ou ter está mais perto do que você imagina, porque o poder de alcançar *tudo* o que você deseja está dentro de você!

> *"Há um poder supremo, uma força dominante, que permeia e rege todo o Universo ilimitado. Você é parte desse poder."*
>
> Prentice Mulford (1834-1891),
>
> AUTOR AMERICANO QUE FUNDOU O MOVIMENTO CONHECIDO COMO NOVO PENSAMENTO

Neste livro, quero lhe mostrar o caminho para ter uma vida incrível. Você vai descobrir coisas inacreditáveis sobre você, sua vida e o Universo. A vida é muito mais fácil do que poderíamos imaginar, e quando você entender a maneira como ela funciona e o poder que existe dentro de você, vai experimentar a magia da vida em sua plenitude, e então vai ter uma vida incrível.

Agora, deixe a magia da vida começar.

O QUE É O PODER?

"O que é esse poder que não consigo definir? Tudo o que sei é que ele existe."

Alexander Graham Bell (1847-1922),

INVENTOR DO TELEFONE

A vida é muito simples. Sua vida é feita de apenas dois tipos de coisas: coisas boas e coisas ruins. Cada aspecto da sua vida, seja ele saúde, dinheiro, relacionamentos, trabalho e felicidade, é ao mesmo tempo bom e ruim para você. Você tem muito dinheiro ou não tem dinheiro nenhum. Você tem uma saúde perfeita ou está doente. Seus relacionamentos são felizes ou difíceis. Seu trabalho é interessante e você é uma pessoa bem-sucedida ou seu trabalho é totalmente desinteressante e você não tem sucesso nenhum. Você se sente muito feliz ou há muito tempo não tem motivos para se sentir bem. Você tem anos bons e anos ruins, tempos bons e tempos ruins, dias bons e dias ruins.

Se, na vida, você tem mais coisas negativas do que positivas, então algo está errado, e você sabe disso. Você vê pessoas felizes e realizadas, cheias de coisas maravilhosas, e algo lhe diz que você merece tudo isso também. E você está certo. Você merece *sim* uma vida repleta de coisa boas.

A maioria das pessoas que tem uma vida maravilhosa não sabe exatamente o que fez para ter o que tem. Mas elas *fizeram* alguma coisa. Elas usaram o poder que é a origem de todas as coisas boas da vida...

Toda pessoa que tem uma vida maravilhosa, sem exceção alguma, usou o *amor* para alcançá-la. O poder para ter todas as coisas boas da vida é o amor!

Grandes pensadores, filósofos, profetas e líderes de todas as religiões do mundo já falaram e escreveram muito sobre o amor, desde o início dos tempos. Mas muitos de nós ainda não entendemos completamente as palavras desses homens e mulheres sábios. Mesmo que seus ensinamentos tenham sido dirigidos especificamente a alguém, a única e verdadeira mensagem que eles deixaram para o mundo é a mesma ainda hoje: *ame*, porque quando você ama você usa o maior poder do Universo.

A força do amor

> *"O amor é um elemento que embora fisicamente invisível é tão real como o ar e a água. É uma força motriz, viva, atuante (...) que se move em ondas e correntes como as do oceano."*

Prentice Mulford (1834-1891),

AUTOR AMERICANO QUE FUNDOU O MOVIMENTO CONHECIDO COMO NOVO PENSAMENTO

O tipo de amor sobre o qual falavam os grandes pensadores e sábios do mundo é bem diferente do que a maioria das pessoas entende por amor. É muito mais do que amar a família, os amigos ou algo que significa muito para você. Porque o amor não é apenas um sentimento, ele é uma força positiva. O amor não é fraco, frágil ou suave. O amor é *a* força positiva da vida. O amor é a origem de tudo que é positivo e bom. Não existem várias forças positivas na vida. Existe apenas uma.

As grandes forças da natureza, como a lei da gravidade e o eletromagnetismo, são invisíveis ao olho humano, mas o seu poder é indiscutível. Da mesma maneira, a força do amor é invisível, mas seu poder é, na verdade, muito maior do que qualquer outra força da natureza. Os indícios desse poder podem ser vistos por toda parte: sem o amor não existiria vida.

Pare um instante e pense: o que seria do mundo sem o amor? Bem, em primeiro lugar, nem mesmo você existiria. Sem o amor você não teria nascido. Nem ninguém da sua família, nem nenhum dos seus amigos teria nascido. Na verdade, não existiria um único ser humano sobre a superfície da Terra. Se a força do amor deixasse de existir hoje, toda a raça humana iria começar a decrescer e, em algum momento, desapareceria por completo.

Toda invenção, descoberta e criação humana vem do amor no coração de um ser humano. Se não fosse pelo amor de Alberto Santos Dumont, não poderíamos voar em aviões hoje em dia. Se não fosse pelo amor dos cientistas, inventores e descobridores, não teríamos eletricidade, aquecimento ou luz, nem teríamos carros para dirigir, nem telefones para usar, nem nenhum dos aparelhos ou tecnologia que tornam a nossa vida mais fácil e confortável. Sem o amor dos arquitetos e construtores não haveria casas, prédios ou cidades. Sem o amor, não haveria remédios, médicos ou atendimento de emergência. Não haveria professores, escolas ou educação. Não haveria livros, pinturas ou música, porque tudo isso foi criado pela força do amor. Dê uma olhada ao seu redor agora mesmo. Tudo o que você vê é criação humana que não existiria sem o amor.

"Percamos o amor e nossa Terra será um túmulo."

Robert Browning (1812-1889),
POETA

O amor é a força que move você

Tudo o que você quer ser, ter ou fazer vem do amor. Sem o amor, você não se moveria. Não haveria nenhuma força positiva para animar você a sair da cama pela manhã, a trabalhar, brincar, dançar, falar, aprender, a ouvir música ou a fazer qualquer coisa. Você seria como uma estátua de pedra. É essa força positiva do amor que inspira você a se mover e lhe dá o desejo de ser, ter ou fazer as coisas. A força positiva do amor pode criar tudo de bom que existe, pode expandir as coisas boas e transformar as coisas ruins. Você tem o poder sobre sua saúde, riqueza, carreira, relacionamentos — enfim, em todos os aspectos da sua vida. E o poder — o amor — está dentro de você.

Mas, se você tem poder sobre a sua vida e o poder está dentro de você, por que sua vida não é maravilhosa? Por que você não tem tudo o que quer? Por que você não pode fazer tudo aquilo que quer? Por que você não se sente feliz e realizado todos os dias?

A resposta é: porque você tem escolha. Você pode escolher amar e controlar a força positiva do amor ou não. E percebendo isso ou não, todos os dias — em todos os momentos da sua vida —, você faz essa escolha. Sem exceção alguma, sempre que você experimenta algo de bom na sua vida, você irradia amor e controla a força positiva do amor que há em você. Sempre que você recebe algo que não é bom, você não irradia amor, e o resultado é a negatividade. O amor é origem de todas as coisas boas da vida, e a falta de amor é a origem de todas as coisas ruins, de toda a dor e o sofrimento. Infelizmente, a falta de conhecimento e entendimento sobre o poder do amor é evidente no mundo de hoje — e também em vários momentos da história da humanidade.

> *"O amor é a mais poderosa e, no entanto, a ainda mais desconhecida forma de energia no mundo."*
>
> Pierre Teilhard de Chardin (1881-1955),
>
> PADRE JESUÍTA E FILÓSOFO

Agora você vai receber o conhecimento sobre o poder de ter todas as coisas boas da vida, e você será capaz de usá-lo para transformar completamente sua vida. Mas primeiro você tem que entender *exatamente* como o amor funciona.

A Lei do Amor

O Universo é regido por leis naturais. Podemos andar de avião porque a aviação funciona em harmonia com as leis naturais. As leis da física não se transformaram para que fôssemos capazes de voar — nós é que encontramos um jeito de agir de acordo com as leis naturais e assim conseguimos voar. Assim como as leis da física regem a aviação, a eletricidade e a gravidade, existe uma lei que rege o amor. Para controlar a força positiva do amor e transformar sua vida, você tem que entender essa lei, a mais poderosa do Universo: a Lei da Atração.

A Lei da Atração é o que faz existir todas as estrelas do Universo e forma cada molécula e cada átomo com suas partículas. A força de atração do sol mantém os planetas no sistema solar, impedindo que eles vaguem pelo espaço. A força de atração da gravidade mantém você e cada pessoa, animal, planta e mineral sobre a Terra. Essa força de atração pode ser vista em tudo na natureza, de uma flor que atrai as abelhas, ou uma semente que atrai os nutrientes de que necessita do solo, a cada criatura viva sendo atraída por outro ser da sua espécie. A força de atração age em todos os animais na terra, em todos os peixes no mar e em todos os pássaros no céu, levando-os a se multiplicarem e formarem manadas, rebanhos, cardumes. A força de atração mantém as células de seu corpo coesas, e também o material de que é feita a sua casa, ou a cadeira em que você está sentado; ela mantém seu carro na estrada e a água no copo. Cada objeto que você usa se mantém coeso pela força de atração.

A atração é a força que atrai as pessoas umas para as outras. Atrai as pessoas para formarem cidades e nações, grupos, clubes e sociedades onde elas compartilham interesses comuns. É essa força que leva uma pessoa para a ciência e outra para a culinária. Atrai as pessoas para diferentes tipos de esporte ou estilos de música, para certos animais ou bichos de estimação. A atração é a força que leva você para suas coisas e lugares favoritos, é a força que faz você se sentir atraído pelos seus amigos e pelas pessoas que ama.

A força atrativa do amor

Então o que é a força de atração? A força de atração é a força do amor. Atração *é* amor. Quando você se sente atraído pelo seu prato favorito, está sentindo amor por aquele prato. Sem a atração, você não sentiria nada. Qualquer comida teria o mesmo sabor. Você não saberia o que você ama e o que você não ama, porque nada o atrairia. Nenhuma pessoa, cidade, casa, carro, esporte, trabalho, música, roupa, nada o atrairia porque é através da força de atração que você sente o amor.

> *"A Lei da Atração ou a Lei do Amor (...) são uma única e mesma lei."*
>
> Charles Haanel (1866-1949),
>
> EMPRESÁRIO E AUTOR DO MOVIMENTO NOVO PENSAMENTO

A Lei da Atração é a Lei do Amor, a lei todo-poderosa que mantém tudo em harmonia, das galáxias infinitas ao átomo. Ela age em tudo e através de tudo no Universo. E é a lei que age na sua vida. Em termos gerais, a Lei da Atração diz: o semelhante atrai o semelhante. O que quer dizer: você vai receber de volta o que você semeia. O que semeamos na vida é o que recebemos da vida. Tudo o que você atrai para você é exatamente igual ao que você semeia.

> *"A toda ação corresponde uma reação igual e em sentido oposto."*
>
> Isaac Newton (1643-1727),
> MATEMÁTICO E FÍSICO

Toda ação de dar cria uma ação de receber em sentido oposto, e o que você recebe é sempre igual àquilo que foi dado. Tudo aquilo que você semear na vida vai voltar para você. Essa é a física e a matemática do Universo.

Se você *irradiar* energia positiva, vai *receber* de volta energia positiva; se *irradiar* energia negativa, vai *receber* de volta energia negativa. Se você irradiar energia positiva, vai receber em troca uma vida cheia de coisas positivas. Se irradiar energia negativa, receberá em troca uma vida cheia de coisas negativas. E como você pode irradiar energia positiva e negativa? Através de seus pensamentos e sentimentos.

A qualquer momento, você pode irradiar pensamentos positivos ou negativos. E são eles que vão determinar o que você vai receber na vida. Todas as pessoas, circunstâncias e acontecimentos que fazem parte da sua vida serão atraídos de volta para você através dos pensamentos e sentimentos que você está irradiando. A vida não está simplesmente acontecendo com você. Tudo o que você recebe é determinado pelo que semeou.

> *"Dai, e ser-vos-á dado; boa medida, recalcada, sacudida e transbordando, vos deitarão no vosso regaço; porque com a mesma medida com que medirdes também vos medirão de novo."*

Jesus Cristo (c. 5 a.C.-c. 30 d.C.),

FUNDADOR DO CRISTIANISMO,

EVANGELHO DE LUCAS, 6:38

Tudo o que você der na vida vai receber de volta. Dê ajuda e apoio a um amigo que está se mudando, e, com toda a certeza, essa ajuda e apoio voltarão para você mais rápido do que pode imaginar. Sinta raiva de um parente que o deixou na mão, e a raiva voltará para você de alguma forma.

Você está criando sua vida através de seus pensamentos e sentimentos. Seja lá o que for que você pense ou sinta, isso cria tudo o que acontece com você e todas as experiências que tem. Se você pensa e sente "Tive um dia muito difícil e estressante hoje", você atrairá de volta para você pessoas, circunstâncias e acontecimentos que farão o seu dia ainda mais difícil e estressante.

Se você pensa e sente "A vida é realmente boa para mim", você vai atrair pessoas, circunstâncias e acontecimentos que farão a vida ser realmente boa para você.

Você é um ímã

Infalivelmente, a Lei da Atração vai lhe trazer de volta tudo que você irradiar. Você atrai e recebe riqueza, saúde, bons relacionamentos, bons trabalhos e cada coisa da sua vida, por menor que seja, de acordo com seus pensamentos e sentimentos. Se você tiver pensamentos e sentimentos positivos em relação ao dinheiro, você atrai circunstâncias, pessoas e acontecimentos positivos que lhe trarão mais dinheiro. Se tiver pensamentos e sentimentos negativos em relação ao dinheiro, vai atrair circunstâncias, pessoas e acontecimentos negativos que lhe trarão mais problemas financeiros.

> *"Se a humanidade irá conscientemente seguir a Lei do Amor, eu não sei. Mas isso não me incomoda. A lei vai agir como a lei da gravidade age independentemente de a aceitarmos ou não."*
>
> Mahatma Gandhi (1869-1948),
> LÍDER POLÍTICO E ESPIRITUAL DA ÍNDIA

Tão certo como você pensa e sente, a Lei da Atração vai atender ao seu chamado. Não importa se seus pensamentos e sentimentos são bons ou ruins, você os está irradiando, e eles vão voltar para você automática e precisamente como o eco traz de volta as palavras que gritamos. Mas isso quer dizer que você pode transformar sua vida mudando seus pensamentos e sentimentos. Irradie pensamentos e sentimentos positivos e você vai transformar sua vida completamente.

Pensamentos positivos e negativos

Seus pensamentos são tanto as palavras que você diz a si mesmo, num diálogo interior, quanto aquelas que você fala em alto e bom som. Quando você diz a alguém "Que dia lindo!", você pensou isso primeiro e depois expressou seu pensamento com palavras. Seus pensamentos também se transformam em ações. Quando levanta pela manhã, você primeiro pensa "Vou sair da cama" e depois faz isso. Você não pode fazer nada sem antes pensar nisso.

São seus pensamentos que determinam se suas palavras e ações serão positivas ou negativas. Mas como saber se seus pensamentos são positivos ou negativos? Seus pensamentos são positivos quando eles se ocupam de tudo o que você deseja e ama. E são negativos quando se ocupam de tudo o que você não deseja nem ama. É simples assim. E fácil assim.

Tudo o que deseja na vida você deseja porque ama. Pare um instante e pense sobre isso. Você não quer as coisas que não ama, quer? Toda pessoa quer apenas aquilo que ama. Ninguém quer algo que não ame.

Quando você pensa ou fala sobre algo que você quer e ama, como, por exemplo, "Adoro esses sapatos, eles são lindos", seus pensamentos são positivos e eles vão voltar para você trazendo coisas que você ama, isto é, os sapatos lindos. Quando pensa e fala sobre coisas que não quer e não ama, como, por exemplo, "Olha o preço desses sapatos, isso é um roubo!", seus pensamentos são negativos e eles vão lhe trazer de volta o que você não ama nem quer, isto é, coisas que são caras demais.

A maioria das pessoas pensa e fala muito mais sobre o que elas não amam e não querem do que sobre o que elas amam e querem. Elas irradiam mais negatividade do que amor e, fazendo isso, estão inadvertidamente privando a si mesmas de todas as coisas boas da vida.

É impossível ter uma vida maravilhosa sem amor. As pessoas que têm uma vida maravilhosa pensam e falam mais sobre o que elas amam do que sobre o que elas não amam. As pessoas que estão em dificuldades pensam e falam mais sobre o que elas não amam do que sobre o que elas amam.

> *"Uma só palavra pode nos libertar de toda dor e todo peso na vida. Essa palavra é amor."*
>
> *Sófocles* (496-406 A.C.),
> POETA GREGO

Fale sobre o que você ama

Quando você fala sobre as dificuldades financeiras que tem, um relacionamento que não está indo bem, uma doença que o acometeu ou até mesmo sobre a queda dos lucros da sua empresa, você não está falando sobre aquilo que ama. Quando você fala sobre uma notícia terrível que apareceu no jornal da noite, ou sobre uma pessoa ou situação que o deixou zangado ou irritado, você não está falando sobre aquilo que ama. Ao falar sobre o dia ruim que teve, em que chegou atrasado para um compromisso importante, ficou preso num engarrafamento ou perdeu o ônibus, você está falando apenas daquilo que não ama. Existem muitas coisas que acontecem todos os dias; se você insistir em falar apenas daquilo que não ama, todas essas coisas trarão mais dificuldades para sua vida.

Você tem que falar do que aconteceu de bom no seu dia. Fale sobre como aquela reunião foi boa e produtiva. Fale sobre como você adora ser pontual. Fale sobre como é bom ter uma saúde de ferro. Fale sobre os lucros que você quer ter no seu negócio. Fale sobre as situações e encontros que viveu ou teve ao longo do dia que transcorreram tranquilamente. Você tem que falar sobre aquilo que ama para trazer tudo o que ama para sua vida.

Se você ficar reclamando sobre o que você não ama, estará literalmente aprisionando a si mesmo, como a um papagaio numa gaiola. Toda vez que você fala sobre o que não ama, está colocando mais uma grade na sua gaiola e afastando a si mesmo de todas as coisas boas da vida.

Pessoas que têm uma vida maravilhosa falam mais sobre aquilo que amam. Assim elas ganham acesso ilimitado a todas as coisas boas da vida e são livres como pássaros que voam bem alto no céu. Para ter uma vida maravilhosa, quebre as

grades da gaiola que está prendendo você. Irradie amor, fale sobre aquilo que ama, e o amor vai libertá-lo.

"E conhecereis a verdade, e a verdade vos libertará."

Jesus Cristo (c. 5 a.C.-c. 30 d.C.),

FUNDADOR DO CRISTIANISMO,

EVANGELHO DE JOÃO, 8:32

Nada é impossível para a força do amor. Não importa quem você seja, não importa a situação que esteja enfrentando, a força do amor o libertará.

Conheço uma mulher que sozinha quebrou as grades da prisão que a encarcerava. Ela ficou em sérias dificuldades financeiras, sem ter como sustentar os filhos, quando deixou o marido depois de vinte anos de um casamento destrutivo. Apesar da dureza da situação em que ela se encontrava, essa mulher nunca permitiu que a raiva, a mágoa ou qualquer sentimento ruim tomasse conta dela. Ela nunca falou mal do ex-marido. Em vez disso falava apenas, de forma positiva, do seu sonho de encontrar alguém — interessante, bondoso, responsável e bonito — e de viajar pela Europa. Apesar de não ter dinheiro para viajar, ela tirou passaporte e comprou pequenas coisas que seriam necessárias numa viagem à Europa.

Bem, algum tempo depois, ela encontrou o homem perfeito e, após se casarem, eles foram morar na Espanha, onde vivem felizes até hoje.

Essa mulher se recusou a falar sobre o que ela não amava. Escolheu irradiar amor e falar sobre o que amava. Assim se libertou das dificuldades e do sofrimento e recebeu uma vida maravilhosa.

Você pode mudar sua vida porque tem capacidade de pensar e falar sobre o que ama, e tem a capacidade ilimitada de atrair para você todas as coisas boas da vida. No entanto, o poder que você tem é muito maior do que irradiar palavras e pensamentos positivos em relação às coisas que ama, porque a Lei da Atração está respondendo aos seus pensamentos e aos seus *sentimentos*. Você tem que *sentir* o amor para dominar o seu poder!

> *"O amor é a realização da lei."*
>
> São Paulo (c. 5-67 d.C.),
>
> apóstolo cristão, Carta aos Romanos, 13:10

PRINCÍPIOS DO PODER

- *O amor não é fraco, frágil ou suave. O amor é uma força positiva de vida. O amor é causa de tudo que é positivo e bom.*
- *Tudo que você deseja, faz ou tem vem do amor.*
- *A força positiva do amor pode criar o bem, trazer mais coisas boas para sua vida e transformar as coisas negativas.*
- *A cada dia, a cada momento, você pode escolher amar e dominar a força positiva ou não.*
- *A Lei da Atração é a Lei do Amor, e essa lei está agindo na sua vida.*
- *Tudo o que você semear na vida vai receber de volta. Semeie positividade e vai receber positividade de volta. Semeie negatividade e vai receber negatividade de volta.*
- *A vida não está simplesmente acontecendo com você. Você recebe aquilo que semeou.*
- *Seus pensamentos e sentimentos, não importa se bons ou ruins, voltam para você automática e precisamente como um eco.*
- *As pessoas que têm uma vida maravilhosa pensam e falam mais sobre o que elas amam do que sobre o que elas não amam.*

- *Fale sobre os bons acontecimentos do dia. Fale sobre o que você ama e traga para você tudo aquilo que ama.*

- *Você tem uma capacidade ilimitada de pensar e falar sobre o que ama, e tem uma capacidade ilimitada de trazer tudo o que há de bom na vida para você.*

- *Ame, porque quando você ama está usando o maior poder do Universo.*

O PODER DOS SENTIMENTOS

"Sentir é o segredo."

Neville Goddard (1905-1972),
PROFESSOR E ESTUDIOSO DO
MOVIMENTO NOVO PENSAMENTO

Você é um ser que sente

Desde o instante do seu nascimento, você está sempre sentindo algo, e todas as outras pessoas também. Você pode interromper os seus pensamentos conscientes se estiver dormindo, por exemplo, mas não pode nunca interromper seus sentimentos, porque estar vivo é sentir a vida. Sentir é a essência do seu ser, e não é por acaso que cada parte do seu corpo foi criada para que você seja capaz de sentir a vida.

Você tem os sentidos da visão, audição, olfato, paladar e tato, e com eles pode sentir tudo o que existe. A palavra "sentidos" indica que eles permitem que você sinta o que vê, o que ouve, o que cheira, o que prova e o que você toca. O seu corpo é coberto por uma fina camada de pele, que é um órgão dos sentidos, e através dela você pode sentir tudo.

Como você se sente em cada momento é mais importante do que tudo, porque a forma como você se sente agora está criando a sua vida.

Seus sentimentos são combustível

Seus pensamentos e palavras não têm nenhum poder sem os sentimentos. Você tem uma quantidade enorme de pensamentos ao longo do dia que não significam nada, porque a maior parte desses pensamentos não provoca fortes sentimentos dentro de você. É o que você sente que importa.

Imagine que seus pensamentos e palavras são um foguete e seus sentimentos, o combustível. Um foguete é um meio de transporte que não pode ir a lugar nenhum sem combustível, porque o combustível é o poder que o propulsiona. Acontece a mesma coisa com seus pensamentos e palavras. Seus pensamentos e palavras são veículos que não podem fazer nada sem seus sentimentos, porque seus sentimentos são o poder de seus pensamentos e palavras.

Se você pensa "Não suporto meu chefe!", esse pensamento expressa um *sentimento* negativo forte que você tem em relação ao seu chefe, então você está irradiando *esse sentimento* negativo. Como consequência, o seu relacionamento com seu chefe só irá piorar.

Se você pensa "Trabalho com pessoas extraordinárias", essas palavras expressam um *sentimento* positivo que você tem em relação às pessoas com quem trabalha, e você está emanando esse *sentimento* positivo. Como consequência, seu relacionamento com os colegas de trabalho vai se tornar cada vez melhor.

> *"As emoções servem para dar sentimento aos pensamentos, que assim tomam forma."*
>
> Charles Haanel (1866-1949),
>
> EMPRESÁRIO E AUTOR DO MOVIMENTO NOVO PENSAMENTO

Sentimentos bons e ruins

Como tudo na vida, seus sentimentos podem ser positivos ou negativos. Você tem bons e maus sentimentos. Todos os bons sentimentos vêm do amor. E todos os sentimentos ruins vêm da falta de amor. Quanto mais você se sente bem, por exemplo, quando está muito alegre, mais amor você irradia. E quanto mais amor você *irradia*, mais amor você *recebe*.

Quanto mais você se sente mal, como quando está muito aflito com alguma coisa, mais negatividade você irradia. E quanto mais negatividade você irradia, mais negatividade você recebe de volta. A razão pela qual você se sente mal com os sentimentos negativos é que o *amor* é a força positiva da vida e sentimentos negativos não têm amor dentro deles.

Quanto melhor você se sente, melhor a vida fica.

Quanto pior você se sente, pior a vida fica, até que você mude seus sentimentos.

amor
gratidão
alegria
paixão
empolgação
entusiasmo
esperança
satisfação
cansaço
irritação
decepção
preocupação
rejeição
raiva
ódio
inveja
culpa
aflição
medo

Quando você se sente bem, seus pensamentos automaticamente são bons. Você não pode se sentir bem e ter pensamentos negativos ao mesmo tempo. Da mesma maneira, é impossível se sentir mal e ter bons pensamentos ao mesmo tempo.

Como você se sente é um espelho exato, uma medida precisa, do que você irradia num determinado momento. Quando você se sente bem, não precisa se preocupar com mais nada porque seus pensamentos, palavras e ações serão bons. Apenas se sentindo bem você tem a garantia de estar irradiando amor, e todo esse amor vai voltar para você!

Bem quer dizer bem, de verdade

A maioria das pessoas entende o que é se sentir bem ou mal, mas não consegue perceber que elas estão convivendo a maior parte do tempo com sentimentos negativos. As pessoas pensam que se sentir mal significa ter sentimentos extremamente negativos como tristeza, luto, raiva ou medo, e, embora todos esses sentimentos sejam negativos, existem vários níveis de negatividade.

Se você se sente "normal" a maior parte do tempo, pode pensar que se sentir "normal" é um sentimento positivo porque você não se sente realmente mal. Se você se sentia realmente mal e agora se sente normal, com certeza sentir-se normal é muito melhor do que sentir-se realmente mal. Mas sentir-se normal a maior parte do tempo é um sentimento negativo, porque sentir-se normal não é sentir-se bem.

Sentir-se bem significa sentir-se bem de verdade. Bons sentimentos fazem você se sentir feliz, cheio de alegria, entusiasmado, empolgado ou apaixonado. Quando você se sente normal, na média ou não está sentindo nada disso de verdade, sua vida está normal, na média, mais ou menos, e sentir-se bem é o que lhe traz uma vida realmente boa.

"A medida do amor é um amor sem medida."

São Bernardo de Claraval (1090-1153),

MONGE CISTERCIENSE

Quando você está alegre, está irradiando alegria e vai receber experiências, situações e pessoas que lhe tragam mais alegria, aonde quer que vá. Desde o simples fato de ouvir de repente sua música favorita no rádio até ganhar na loteria, todas essas circunstâncias são a Lei da Atração respondendo à sua alegria. Quando você fica irritado, está irradiando irritação, e vai receber de volta mais experiências, situações e pessoas irritantes, aonde quer que vá. Desde um simples mosquito que perturba sua concentração até o carro que quebra no caminho para o trabalho, todas essas experiências são a Lei da Atração respondendo à sua irritação.

Todo sentimento bom une você à força do amor, porque o amor é a origem de todos os sentimentos bons. Entusiasmo, empolgação e paixão vêm do amor, e quando você se sente entusiasmado, empolgado ou apaixonado de verdade, recebe uma vida cheia de coisas entusiasmantes, empolgantes e apaixonantes.

Você pode despertar o poder dos bons sentimentos ao máximo "aumentando o volume deles". Para aumentar o volume de um sentimento, preste atenção nele e deliberadamente intensifique-o de forma que você vai se sentir ainda melhor. Para amplificar o entusiasmo, viva no entusiasmo, sorva todo o entusiasmo que puder, tudo que houver, e sinta-o intensamente. Quando você estiver apaixonado ou empolgado, viva esses sentimentos em sua plenitude e intensifique-os. Quanto maior o amor que você irradiar, mais os resultados que você vai receber na vida serão nada menos do que espetaculares.

Quando você não estiver detectando nenhum sentimento bom dentro de você, pode mudar isso — basta apenas se concentrar nas coisas que você ama. Antes de começar a escrever este livro, todos os dias eu intensificava meus bons sentimentos. Para intensificar meus bons sentimentos eu pensava nas coisas que amo. Ficava listando as coisas que amo uma depois da outra: minha família, meus amigos, minha casa. As flores no meu jardim, o tempo que estava maravilhoso, cores, situações, fatos, tudo de bom que aconteceu na última semana, mês ou ano. Eu ficava listando tudo o que amo na minha cabeça até me sentir maravilhosamente bem. Daí eu sentava e escrevia. É fácil intensificar os seus sentimentos bons; você pode fazer isso em qualquer lugar e a qualquer hora.

Os sentimentos refletem o que você está irradiando

Agora você pode dizer, olhando para os principais aspectos de sua sua vida, se está irradiando mais sentimentos bons ou mais sentimentos ruins. A forma como você se sente em relação a cada aspecto da sua vida — dinheiro, saúde, trabalho, relacionamentos — é o reflexo exato do que você está irradiando em relação a cada um desses aspectos.

Quando você pensa em dinheiro, seus sentimentos refletem o que você está irradiando em relação ao dinheiro. Se você se sente mal quando pensa em dinheiro, porque não tem dinheiro suficiente, você vai receber de volta circunstâncias e experiências negativas de não ter dinheiro suficiente — porque é esse sentimento negativo que você está irradiando.

Quando pensa no trabalho, seus sentimentos refletem o que você está irradiando em relação ao seu trabalho. Se você se sente bem com o seu trabalho, vai receber de volta circunstâncias e experiências positivas no seu trabalho — porque é esse sentimento positivo que você está irradiando. Quando você pensa na sua família, na sua saúde ou em qualquer outro aspecto da sua vida, seus sentimentos dizem o que você está irradiando em relação a eles.

> *"Tome cuidado com suas emoções e sentimentos, porque existe uma forte conexão entre os seus sentimentos e o mundo físico."*
>
> *Neville Goddard* (1905-1972),
>
> PROFESSOR E ESTUDIOSO DO MOVIMENTO NOVO PENSAMENTO

A vida não está simplesmente acontecendo com você. A vida está *respondendo* a você. A vida é o que você pede. Todos os aspectos da sua vida são exatamente o que você pede. Você é o criador da sua vida. Você é o escritor da sua história de vida. Você é o diretor do filme da sua vida. Você decide o que sua vida vai ser pelo que você irradia.

Existe uma infinidade de sentimentos bons que você pode ter, o que significa dizer que não há limite para tudo de bom que você pode receber. Existem muitos sentimentos ruins que você pode ter e que vão se tornando cada vez mais ruins, mas com os sentimentos ruins existe um limite além do qual ninguém pode mais suportá-los, o que nos obriga a escolher os sentimentos bons de novo.

Não é por acaso ou por sorte que sentimentos bons fazem você se sentir bem e que sentimentos ruins fazem você se sentir muito mal. O amor é o poder supremo que governa a vida, ele o chama e o atrai pelos seus bons sentimentos, para que você tenha a vida que deveria ter. O amor também o chama através dos seus sentimentos ruins, porque ele mostra que você está desconectado da força positiva da vida.

Tudo tem a ver com a maneira como você se sente

Tudo na vida tem a ver com a maneira como você se sente. Cada decisão que você toma se baseia em como você se sente. Seus sentimentos são o poder que dá motivação a toda a sua vida.

Tudo o que você deseja na vida você deseja porque ama e porque isso faz você se sentir bem. Tudo o que você não deseja na vida, o que quer que seja, é assim porque faz você se sentir mal.

Você quer ser saudável, porque ser saudável o faz se sentir bem, e estar doente o faz se sentir mal. Você quer dinheiro porque poder comprar e fazer as coisas que ama o faz se sentir bem, e não poder o faz se sentir mal. Você quer ter relacionamentos felizes porque eles o fazem se sentir bem. E relacionamentos ruins o fazem se sentir mal. Você quer ser feliz porque felicidade o faz se sentir bem, e infelicidade o faz se sentir mal.

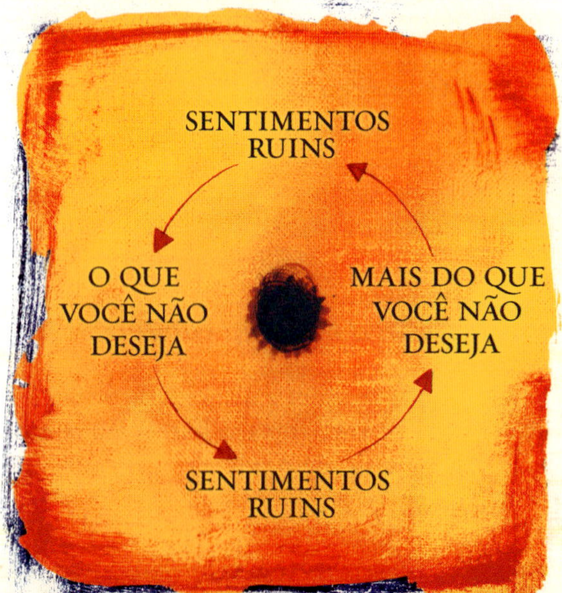

Os bons sentimentos movimentam todas as coisas que você deseja e as trazem para você. E como você recebe as coisas boas que deseja para sua vida? Pelos bons sentimentos! O dinheiro quer você. A saúde busca você. A felicidade encontra você. Todas as coisas que você ama procuram por você. Elas estão doidas para entrarem na sua vida, mas você tem que irradiar bons sentimentos para trazê-las para você. Você não tem que batalhar e se esforçar para mudar as circunstâncias da vida. Tudo o que precisa fazer é irradiar amor através dos bons sentimentos, e tudo o que deseja vai aparecer.

Seus bons sentimentos controlam a força do amor — o poder de tudo o que é bom na vida. Seus bons sentimentos mostram o caminho para tudo o que você deseja. Seus sentimentos mostram que, quando você se sente bem, a vida será boa. Mas você tem que irradiar bons sentimentos primeiro.

Se você vive dizendo "Eu vou ser feliz quando tiver uma casa melhor", "Eu vou ser feliz quando conseguir um emprego ou aquela promoção" ou "Eu vou ser feliz quando as crianças entrarem para a faculdade", "Eu vou ser feliz quando tiver mais dinheiro", "Eu vou ser feliz quando puder viajar", "Eu vou ser feliz quando tiver um negócio bem-sucedido", você nunca terá nada disso, porque seus pensamentos estão contrariando a maneira como o amor funciona. Ele estão contrariando a Lei da Atração.

Você tem que ser feliz primeiro e *irradiar* felicidade para *receber* mais felicidade. Não acontece de outra maneira, porque tudo que você quer receber da vida tem que ser doado a ela primeiro. Você está no comando dos seus sentimentos, está no comando do amor, e a força do amor vai lhe devolver tudo o que você irradia.

PRINCÍPIOS DO PODER

- *A forma como você se sente em cada momento da vida é mais importante do que tudo, porque a forma como você se sente agora cria sua vida nesse exato momento.*

- *Seus sentimentos são o poder de seus pensamentos e palavras. É o que você sente que importa.*

- *Todos os bons sentimentos vêm do amor. Todos os sentimentos ruins vêm da falta de amor.*

- *Todo sentimento bom une você à força do amor, porque o amor é a origem de todos os bons sentimentos.*

- *Intensifique seus bons sentimentos pensando em todas as coisas que você ama. Nomeie sem parar todas as coisas que você ama, uma após a outra. Faça uma lista de todas as coisas que você ama até se sentir maravilhosamente bem.*

- *Como você se sente em relação a todos os aspectos da sua vida é o reflexo exato do que você está irradiando em relação a eles.*

- *A vida não está simplesmente acontecendo com você. A vida está respondendo a você. Cada aspecto da sua vida é o que você pede, e você faz esse pedido através do que você dá.*

- *Existe uma infinidade de bons sentimentos que você pode ter, o que significa dizer que não há limite para todas as coisas boas que você pode receber da vida.*

- *Todas as coisas que você ama querem você. O dinheiro quer você. A saúde quer você. A felicidade quer você.*

- *Não batalhe para mudar as circunstâncias da sua vida. Irradie amor através dos seus bons sentimentos, e tudo o que você deseja vai aparecer.*

- *Você tem que irradiar bons sentimentos primeiro. Você tem que ser feliz primeiro e irradiar felicidade para receber felicidade. Tudo o que você deseja da vida você tem que dar a ela antes.*

A VIBRAÇÃO DOS SENTIMENTOS

Se você pode sentir, pode receber

Tudo no Universo tem um campo eletromagnético, e cada campo eletromagnético tem uma determinada frequência de onda. Seus pensamentos e sentimentos têm uma frequência de onda. Com bons sentimentos você está vibrando na frequência positiva do amor. Com sentimentos ruins você está vibrando numa frequência negativa. Tudo o que você sente, seja bom ou ruim, determina a frequência da sua vibração, e como um ímã você atrai pessoas, acontecimentos e circunstâncias que estão nessa mesma frequência.

Se você está entusiasmado, sua vibração atrairá pessoas, acontecimentos e circunstâncias cheios de entusiasmo. Se você está com medo, sua vibração atrairá pessoas, acontecimentos e circunstâncias que têm medo ou que lhe trarão mais medo. Se você nunca tem dúvida sobre a frequência em que está vibrando, é porque sua vibração corresponde exatamente ao que você está sentindo. Você pode mudar a sua vibração a qualquer momento, mudando o modo como você se sente, e tudo ao seu redor se transformará porque você vai vibrar numa frequência nova.

Todas as situações da vida podem ter desfechos muito diferentes porque você pode ter sentimentos bem diversos em relação ao que está acontecendo.

Um relacionamento pode vibrar numa frequência de alegria, felicidade, empolgação, satisfação — enfim, na frequência dos bons sentimentos. Um relacionamento pode também vibrar numa frequência de chateação, frustração, preocupação, ressentimento, depressão — enfim, na frequência dos sentimentos ruins. Esse relacionamento pode ter vários desfechos. O modo como você se sente determina exatamente o que vai acontecer nesse relacionamento. Todo sentimento que você tiver em relação a esse relacionamento é exatamente o que você vai receber desse relacionamento. Se, na maior parte do tempo, você se sente cheio de alegria em relação ao seu relacionamento, você está irradiando amor, e vai receber amor e alegria de volta através desse relacionamento porque essa é a frequência da sua vibração.

"Mudar um sentimento é mudar o destino."

Neville Goddard (1905-1972),

PROFESSOR E ESTUDIOSO DO MOVIMENTO NOVO PENSAMENTO

Em relação a todos os aspectos da vida, você vibra em diferentes frequências de sentimento. E você determina o que vai alcançar em cada um desses aspectos pela maneira como você se sente em relação a eles.

Você pode se sentir empolgado, feliz, alegre, esperançoso, preocupado, com medo ou deprimido em relação ao seu dinheiro. Você pode se sentir em êxtase,

amor
gratidão
alegria
paixão
empolgação
entusiasmo
esperança
satisfação
cansaço
irritação
decepção
preocupação
rejeição
raiva
ódio
inveja
culpa
aflição
medo

apaixonado, abençoado, desencorajado ou ansioso em relação à sua saúde.

Esses são sentimentos que vibram em frequências diferentes. E a frequência dos sentimentos em que você está vibrando determina o que você vai receber.

Você pode querer viajar e se sentir muito desapontado porque não tem dinheiro suficiente para isso, então em relação ao assunto viagens, você se sente desapontado. Sentir-se desapontado significa que você vibra na frequência do desapontamento, e você vai continuar a receber circunstâncias em que você não vai poder viajar e que o farão sentir-se desapontado novamente, até que você mude a maneira como se sente em relação a isso. A força do amor vai movimentar circunstâncias favoráveis a uma viagem, mas você tem que vibrar na frequência dos bons sentimentos para receber isso.

Quando você muda a maneira como se sente em relação a uma situação específica, você está irradiando um sentimento diferente, está vibrando numa frequência diferente, e essa situação específica *tem que mudar* para espelhar a sua nova frequência vibracional. Se alguma coisa negativa aconteceu na sua vida, você pode mudar isso. Nunca é tarde demais, porque nunca é tarde demais para mudar a maneira como você se sente em relação a algo. Para receber o que você ama, para transformar algo que você não ama em algo que você ama, não importa em que aspecto da vida, tudo que o você tem a fazer é mudar a maneira como se sente.

"Se você quer descobrir o segredo do Universo, pense em termos de energia, frequência e vibração."

Nikola Tesla (1856-1943),

SÉRVIO NATURALIZADO AMERICANO, IMPORTANTE CIENTISTA, ESTUDIOSO DO ELETROMAGNETISMO. FOI INVENTOR DO RÁDIO E DESCOBRIDOR DA CORRENTE ALTERNADA

Desligue o piloto automático

Muitas pessoas não conhecem o poder dos bons sentimentos e por isso seus sentimentos são reações ou respostas a tudo o que acontece com elas. Elas colocaram seus sentimentos no piloto automático, em vez de prestarem atenção neles. Quando alguma coisa boa acontece, elas se sentem bem. Quando alguma coisa ruim acontece, elas se sentem mal. Nem percebem que seus sentimentos são a causa do que acontece com elas. Como elas reagem com sentimentos negativos, estão irradiando mais sentimentos negativos e recebem de volta mais circunstâncias negativas. Ficam presas no círculo vicioso dos seus próprios sentimentos. Suas vidas ficam girando nesse círculo, e elas não chegam a lugar algum, são como ratinhos numa roda, porque não percebem que para mudar suas vidas precisam mudar a frequência dos sentimentos em que vibram.

"Não é o que acontece com você que importa, mas a maneira como você reage ao que acontece com você."

Epiteto (55-135),
FILÓSOFO GREGO ADEPTO DO ESTOICISMO

Se você não tem dinheiro, naturalmente não se sente bem em relação a dinheiro, mas a situação do dinheiro na sua vida não vai mudar enquanto você não se sentir bem em relação a ele. Se você irradia sentimentos negativos em relação ao dinheiro, você vibra numa frequência negativa em relação ao dinheiro e vai receber de volta circunstâncias negativas como, por exemplo, contas cada vez mais altas e aparelhos que quebram e precisam de conserto, isto é, circunstâncias que farão você gastar mais dinheiro. Quando você reage com sentimentos negativos a uma conta alta a ser paga, você irradia mais sentimentos negativos em relação ao dinheiro, o que traz mais circunstâncias negativas que fazem você gastar mais dinheiro ainda.

A cada segundo você tem a oportunidade de mudar sua vida, porque a cada segundo você pode mudar a maneira como se sente. Não importa o que você tenha sentido antes. Não importa que erros você acredita ter cometido antes. Quando você muda a maneira como se sente em relação às coisas, você vibra numa frequência diferente, e a Lei da Atração lhe responde imediatamente. Quando você muda a maneira como se sente, o passado não existe mais. Quando você muda a maneira como se sente, sua vida muda.

"Não perca nem um minuto se arrependendo, porque pensar emocionalmente nos erros do passado é errar de novo."

Neville Goddard (1905-1972),
PROFESSOR E ESTUDIOSO DO
MOVIMENTO NOVO PENSAMENTO

Sem desculpas para a força do amor

Se a sua vida não está repleta de tudo o que você ama, isso não significa que você não é uma pessoa boa e amorosa. O propósito da vida para cada um de nós é superar a negatividade escolhendo o amor. O problema é que a maioria das pessoas ama e para de amar inúmeras vezes por dia. Elas não irradiam amor tempo suficiente para que a força do amor traga todas as coisas boas para suas vidas. Pense nisto: num momento você irradia amor ao abraçar carinhosamente alguém que você ama e, no minuto seguinte, para de irradiar amor quando fica aborrecido por não encontrar as chaves do carro ou por pegar um engarrafamento ou não conseguir achar uma vaga. Você irradia amor quando ri junto com um colega de trabalho e para de irradiar amor quando fica desapontado porque hoje no refeitório não tem mais a comida que você queria. Você irradia amor quando pensa no fim de semana e para quando recebe as contas do mês. E assim vai o dia todo: você irradia amor e para de irradiar amor, irradia amor e para de irradiar amor, irradia amor e para de irradiar amor, de um momento para o outro.

Ou você está irradiando amor e controlando a força do amor, ou não está. Você não pode controlar a força do amor com desculpas sobre por que você não amou. Desculpas e justificativas sobre por que você não amou só aumentam a negatividade na sua vida. Quando você dá uma desculpa para não ter amado, está sentindo a mesma negatividade outra vez, e está irradiando mais negatividade.

> *"Guardar rancor é como pegar um carvão em brasa com a intenção de atirá-lo em alguém. Quem segura o carvão é que se queima."*
>
> *Siddharta Gautama, o Buda* (563-483 A.C.),
> FUNDADOR DO BUDISMO

Se você fica aborrecido porque houve uma confusão em relação ao horário e local de uma reunião e culpa alguém por isso, você está usando a culpa como pretexto para não irradiar amor. Mas a Lei da Atração apenas recebe o que você dá, e se o que você dá é culpar alguém, vai receber isso de volta na vida. Não necessariamente através da pessoa que culpou, mas com toda a certeza você será culpado de algo também. Não há desculpas para a Lei do Amor. Você recebe o que você dá, e ponto final.

Inclua todos os pequenos detalhes

Culpar, rejeitar, encontrar um erro e reclamar são formas de negatividade. E todas elas trazem conflito. Com toda pequena reclamação, em cada momento que você critica ou rejeita alguém, está irradiando negatividade. Reclamações sobre o tráfego, o tempo, o governo, seu companheiro ou companheira, seus filhos, pais, as filas, a economia, a comida, seu corpo, seu trabalho, seus clientes, seus negócios, os preços, o barulho ou o serviço parecem ser inofensivas, mas trazem de volta para você mais negatividade.

Tire do seu vocabulário palavras como terrível, horrível, desagradável e medonho, porque quando você diz essas palavras elas vêm carregadas de sentimentos fortes. Quando você diz essas palavras, elas voltam para você, isto é, trazem essas qualidades para sua vida. Você não acha que seria uma boa ideia usar mais palavras como fantástico, maravilhoso, fabuloso, brilhante, esplêndido? Você pode ter tudo o que você ama e deseja, mas tem que estar em harmonia com o amor, e isso significa que não há desculpas para não irradiar amor. Desculpas e justificativas impedem que você tenha tudo aquilo que deseja. Elas impedem que você tenha uma vida maravilhosa.

> *"Tudo aquilo que mandamos para a vida dos outros volta para a nossa vida."*
>
> Edwin Markham (1852-1940),
>
> POETA

Você pode não fazer a conexão, mas quando você reclama do funcionário de uma loja, em seguida seu vizinho liga reclamando que seu cachorro está latindo. Você pode não fazer a conexão, mas quando encontra um amigo para o almoço e ficam falando mal de um amigo em comum, em seguida você chega no escritório e descobre que tem vários problemas com o seu cliente mais importante. Você pode não fazer a conexão, mas quando conversa durante o jantar sobre as notícias terríveis que acabaram de passar no jornal, não consegue dormir mais tarde com o estômago embrulhado.

Você pode não fazer a conexão, mas quando para para ajudar alguém que deixou cair algo na rua, em seguida encontra uma vaga bem em frente à entrada do supermercado. Você pode não fazer a conexão, mas quando ajuda seu filho com o dever de casa feliz da vida, no outro dia descobre que sua restituição do imposto de renda vai ser maior do que esperava. Você pode não fazer a conexão, mas quando faz um favor para um amigo, naquela mesma semana seu chefe lhe dá duas entradas para um show que a empresa ganhou. Em todas as circunstâncias e em todos os momentos da vida, você está recebendo o que deu, quer você perceba a conexão entre os fatos ou não.

"Nada vem de fora. Tudo vem de dentro."

Neville Goddard (1905-1972),

PROFESSOR E ESTUDIOSO DO MOVIMENTO NOVO PENSAMENTO

O ponto da virada

Se você tiver mais de 50% de pensamentos e sentimentos positivos, você alcançou o ponto da virada. E com apenas 51% de bons pensamentos e bons sentimentos, você já reequilibrou sua vida. Esta é a razão:

Quando você irradia amor, ele não apenas volta para você em forma de circunstâncias que você ama, mas voltando ele aumenta ainda mais o amor e a positividade na sua vida. Essa nova positividade atrai então mais coisas positivas e aumenta ainda mais o amor e a positividade na sua vida, e assim vai. Tudo tem um campo eletromagnético, e quando algo positivo vem para você, seu eletromagnetismo atrai mais coisas boas.

Você pode experimentar isso quando diz que está tendo um dia de sorte ou que está com tudo, quando uma coisa boa atrás da outra lhe acontece, e continuam acontecendo. A razão por que isso acontece é que você irradiou mais amor do que negatividade e, como o amor voltou para você, trouxe mais amor para sua vida e atraiu mais coisas boas.

Você também pode experimentar o oposto, quando alguma coisa dá errado e então tudo, uma coisa depois da outra, parece começar a dar errado. Isso acontece porque você irradiou mais negatividade do que amor, e a negatividade voltou para você trazendo mais negatividade e atraindo mais coisas negativas para sua vida. Provavelmente você chama esses períodos de "maré de azar", mas eles não têm nada a ver com sorte. A Lei da Atração está trabalhando de forma precisa na sua vida, e esses períodos, bons ou ruins, são apenas o reflexo da porcentagem de amor ou negatividade que você irradiou. A única razão para a "maré de sorte" ou "maré de azar" mudar é que em determinado momento você reequilibra os seus sentimentos de outra maneira.

"É por isso que você pode ter um vida encantadora e a salvo de qualquer problema; é por isso que você pode se tornar uma força positiva que atrai mais opulência e harmonia para sua vida."

Charles Haanel (1866-1949),

EMPRESÁRIO E AUTOR DO MOVIMENTO NOVO PENSAMENTO

Para mudar sua vida você tem que reequilibrá-la, irradiando 51% de amor através de bons pensamentos e bons sentimentos. Uma vez que você alcance o ponto da virada para dar mais amor do que negatividade, o amor volta para você e se multiplica, atraindo mais amor pela Lei da Atração. De repente você vai experimentar a aceleração e multiplicação das coisas boas. Em vez de mais coisas negativas voltando e se multiplicando, você tem agora mais coisas boas vindo e se multiplicando em todos os aspectos da sua vida. É dessa maneira que sua vida deve ser.

Quando você acorda de manhã, está diante do seu ponto de virada do dia. Numa direção, você tem um dia maravilhoso pela frente; noutra, um dia cheio de problemas. Você é o único que pode determinar que dia vai ter, pela maneira como se sente. Você está irradiando qualquer coisa que esteja sentindo e, com toda certeza, é exatamente isso que vai receber durante o seu dia, envolvendo você aonde quer que vá.

Quando você começa o dia se sentindo feliz e se mantém assim, o dia será maravilhoso. Mas se você começa o dia de mau humor e não faz nada para mudar isso, seu dia não será lá grande coisa.

Um dia de bons sentimentos não muda apenas aquele dia, muda também o dia seguinte e toda a sua vida. Se você mantém os bons sentimentos e vai para a cama se sentindo bem, você começa o dia seguinte numa corrente de bons sentimentos. E se você consegue manter esses bons sentimentos, vai multiplicá-los pela Lei da Atração, e assim, dia após dia, sua vida fica cada vez melhor.

"Viva hoje. Não ontem. Nem amanhã. Apenas hoje. Preencha os seus momentos. Não os arrende para o futuro."

Jerry Spinelli (1941-),
AUTOR DE LIVROS INFANTIS

Muitas pessoas não vivem hoje. Estão completamente absortas no futuro, mesmo que seja o modo como vivemos no presente que cria o nosso futuro. É o que você sente hoje que importa, porque essa é a única coisa que determina o futuro. Cada dia é uma oportunidade para uma vida nova, porque a cada dia você fica diante do ponto de virada da sua vida. E com apenas um dia você pode mudar o futuro mudando a maneira como se sente. Quando você se reequilibrar com bons sentimentos, a força do amor vai transformar sua vida tão rápido que você quase não vai acreditar no que está acontecendo.

PRINCÍPIOS DO PODER

- *Tudo no Universo tem um campo eletromagnético e uma frequência eletromagnética. Inclusive seus pensamentos e sentimentos.*

- *Tudo o que você sente, seja bom ou ruim, determina a frequência em que você vibra, e você atrai pessoas, acontecimentos e circunstâncias que vibram nessa mesma frequência.*

- *Se você muda a frequência da sua vibração num determinado dia mudando a maneira como você se sente, tudo ao seu redor vai se transformar, porque você estará vibrando numa nova frequência.*

- *Você pode mudar algo ruim que aconteceu na sua vida. Nunca é tarde demais porque você pode mudar a maneira como se sente em relação a isso.*

- *Muitas pessoas deixam os seus sentimentos no piloto automático. Seus sentimentos são a reação ao que acontece com elas. No entanto, elas não percebem que seus sentimentos são a causa do que acontece com elas.*

- *Para mudar algo, não importa se relacionado à sua saúde, ao seu dinheiro, aos seus relacionamentos ou a qualquer outro aspecto da vida, você tem que mudar a maneira como se sente em relação a isso.*

- *Culpar, criticar, apontar defeitos e reclamar são formas de negatividade, e tudo isso traz apenas conflito para sua vida.*

- *Tire do seu vocabulário palavras como terrível, horrível, desagradável, medonho. Use mais palavras como fantástico, maravilhoso, fabuloso, brilhante e esplêndido.*

- *Mesmo que você tenha apenas 51% de bons pensamentos e sentimentos ao longo do dia, você reequilibra sua vida.*

- *Cada dia é uma oportunidade para uma nova vida. A cada dia você está diante do ponto da virada da sua vida. E com apenas um dia você pode mudar o futuro mudando a maneira como se sente.*

O PODER E A CRIAÇÃO

"Todo momento da sua vida é infinitamente criativo, e o Universo traz graças sem fim. Basta apenas pedir claramente, e tudo o que seu coração deseja vai vir para você."

Shakti Gawain (1948-),
AUTORA E PROFESSORA DE
DESENVOLVIMENTO PESSOAL

Nos próximos capítulos você vai aprender como é fácil controlar a força do amor em relação ao dinheiro, saúde, carreira, negócios e relacionamentos. Com esse conhecimento, você será capaz de ter a vida que você que deseja.

Para trazer um desejo específico para você, basta seguir os passos simples do Processo de Criação. O processo é sempre o mesmo, quer ele traga algo que você deseja ou transforme algo que você não deseja.

O Processo de Criação

Imagine. Sinta. Receba.

1. IMAGINE

Use sua mente para focar e imaginar o que você deseja. Imagine-se sendo o que você deseja ser. Imagine-se fazendo coisas que você deseja fazer. Imagine-se tendo o que você deseja ter.

2. SINTA

Ao mesmo tempo em que você imagina, sinta amor pelo que você está imaginando. Você tem que se imaginar e se sentir sendo o que você deseja ser. Você tem que se imaginar e se sentir fazendo coisas que deseja fazer. Você tem que se imaginar e se sentir tendo o que você deseja ter.

A sua imaginação o conecta com o que você quer. Seu desejo e sentimentos de amor criam o magnetismo, o poder magnético que atrai o que você deseja. Isso completa a sua parte no Processo de Criação.

3. RECEBA

A força do amor vai trabalhar com as forças visíveis e invisíveis da natureza para lhe trazer o que você deseja. Vai usar circunstâncias, acontecimentos e pessoas para lhe dar o que você ama.

Não importa o que você deseje, você tem que desejar com todo o seu coração. Desejo é amor, e somente com um desejo ardente em seu coração você terá o poder de controlar a força do amor. Você tem que realmente desejar o que quer, como um jogador deseja jogar, um bailarino deseja dançar, um pintor deseja pintar. Você tem que desejar o que você quer com todo o seu coração, porque o desejo é um sentimento de amor, e você tem que irradiar amor para receber o que você ama.

Não importa o que você deseja ser na vida, não importa o que você quer fazer na vida, não importa o que você deseja ter na vida, o Processo de Criação é o mesmo. Irradie amor para receber amor. Imagine. Sinta. Receba.

Ao usar o Processo de Criação, imagine e sinta que você já tem o que quer, e nunca saia desse estado de espírito. Por quê? Porque a Lei da Atração reproduz o que você irradia, assim você tem que se imaginar e se sentir tendo o que você quer agora.

Se você quer perder peso, irradie amor imaginando-se e sentindo-se com o corpo que você deseja, em vez de imaginar e sentir que você está gorda todo santo dia. Se você quer viajar, irradie amor imaginando e sentindo que você está viajando, em vez de imaginar e sentir todo santo dia que você não tem dinheiro suficiente para viajar. Se você quer praticar algum esporte, ou quer representar, cantar, tocar um instrumento ou desenvolver um trabalho específico, irradie amor pelo que você deseja fazer, imaginando e sentindo que você já é capaz de fazer o que quer. Se você deseja um casamento ou relacionamento melhor, irradie amor, imaginando e sentindo como seria a vida com um relacionamento desse tipo.

"A fé é acreditar naquilo que você ainda não vê, e a recompensa da fé é ver aquilo em que você acredita."

Santo Agostinho (354-430),
BISPO E TEÓLOGO DA IGREJA CATÓLICA

Quando você começa a usar o Processo de Criação, pode querer atrair algo fora do comum. Porque quando você atrai algo fora do comum, não terá dúvidas sobre o seu poder de conseguir o que deseja.

Uma moça começou querendo atrair uma flor específica, um copo-de-leite. Ela se imaginou tocando essa flor com suas mãos e sentindo seu perfume. Duas semanas depois, ela foi a um jantar na casa de um amigo e havia um arranjo no centro da mesa com um vaso cheio de copos-de-leite, exatamente a flor que ela havia imaginado. Ela ficou empolgada ao ver os copos-de-leite, mas não disse nada ao amigo. Quando ela estava indo embora, a irmã desse amigo pegou uma das flores do vaso e lhe deu!

"Imaginar é o princípio da criação. Nós imaginamos o que desejamos, queremos o que imaginamos e, finalmente, criamos aquilo que queremos."

George Bernard Shaw (1856-1950),
ESCRITOR E DRAMATURGO, GANHADOR
DO PRÊMIO NOBEL

Dar – Receber

Lembre-se de que a Lei da Atração diz que você recebe aquilo que você dá. A Lei da Atração é como um espelho, um eco, um bumerangue, uma máquina de xerox, e reconhecer isso vai ajudá-lo a deixar bem claro, que você imagina e sente. A Lei da Atração é como um espelho, porque o espelho reflete exatamente o que se coloca na frente dele. A Lei da Atração é como um eco, porque, não importa o que você grite, é exatamente isso que o eco lhe grita de volta. A Lei da Atração é como um bumerangue, porque o bumerangue que você joga é exatamente o mesmo que volta para você. A Lei da Atração é como uma copiadora que vai reproduzir e lhe entregar exatamente aquilo que você oferecer.

Há alguns anos eu estava em Paris a trabalho e caminhava pelas ruas quando uma mulher passou apressada por mim vestindo a saia mais linda que eu já tinha visto em toda a minha vida. Minha reação foi de amor total: "Que saia linda!"

Poucas semanas depois, eu estava dirigindo em Melbourne, na Austrália, quando fui obrigada a parar porque um outro motorista estava fazendo o retorno no meio de um cruzamento. Ao parar, olhei para a vitrine de uma loja que ficava na esquina da rua e vi exatamente a mesma saia que a mulher apressada usava nas ruas de Paris. Eu não pude acreditar no que estava vendo. Quando cheguei ao trabalho, liguei para a loja, e eles me disseram que haviam recebido da Europa apenas uma saia daquelas, a que estava na vitrine. E é claro que ela era do meu tamanho. Quando fui à loja comprá-la, soube que, além de tudo, a saia estava em promoção, pela metade do preço. O vendedor me disse que eles não pediram essa saia, que a tinham recebido por acaso junto com uma remessa.

A única coisa que fiz para atrair aquela saia para mim foi amá-la, e ela veio de Paris para uma rua no subúrbio de Melbourne, na Austrália, por meio de circunstâncias e acontecimentos imprevistos, para me ser entregue. Esse é o poder magnético do amor. Esse é o poder da Lei da Atração em movimento.

Imaginação

> *"O mundo não é nada mais do que uma tela para a nossa imaginação."*
>
> Henry David Thoreau (1817-1862),
> AUTOR, POETA E ATIVISTA AMERICANO

Quando você imagina alguma coisa boa que você quer e ama, está controlando a força do amor. Quando você imagina alguma coisa boa, sente amor por isso, e é amor o que você está irradiando, e o que vai receber. Se você pode imaginar e sentir, pode também receber. Mas o que você imagina tem que vir do amor.

Tudo o que você imagina não pode prejudicar outra pessoa. Imaginar algo que possa prejudicar alguém não vem do amor, mas da falta de amor. E com toda certeza, qualquer negatividade, mesmo imaginada, voltará com igual poder de destruição para a pessoa que a irradiou. Não importa o que você dê, você vai receber de volta.

Mas quero dizer algo fantástico sobre a força do amor e da sua imaginação. A melhor e mais elevada coisa em que você pode pensar não é nada comparada ao que a força do amor pode lhe dar. O amor não tem limite. Se você deseja uma vida repleta de vitalidade e felicidade, e cheia de entusiasmo, a força do amor pode lhe dar saúde e felicidade em níveis nunca antes experimentados. Estou dizendo isso para que sua imaginação não tenha limites e para que você pare de impô-los à sua vida. Ultrapasse todos os limites da sua imaginação. E imagine que você pode alcançar mais do melhor de tudo o que deseja.

A diferença entre alguém que está batalhando e alguém que tem uma vida extraordinária vem de apenas uma única coisa: amor. Aqueles que têm uma vida maravilhosa imaginam o que eles amam e querem, e *sentem* o que estão imaginando muito mais do que as outras pessoas. Aqueles que batalham estão, involuntariamente, imaginando o que não amam e não querem, e eles *sentem* a negatividade do que imaginam. É uma coisa muito simples, mas isso cria uma diferença enorme na vida das pessoas, e você pode ver essa diferença em todos os lugares.

> *"O segredo de uma mente evoluída está integralmente no uso da imaginação."*
>
> Christian D. Larson (1874-1962),
>
> AUTOR E PROFESSOR DO MOVIMENTO NOVO PENSAMENTO

A história prova que aqueles que ousam imaginar o impossível são aqueles que derrubam todos os limites humanos. Em todas as áreas de atuação do homem, na ciência, na medicina, nos esportes, na arte e na tecnologia, o nome daqueles que ousaram imaginar o impossível está gravado para sempre. Ao ultrapassar os limites da imaginação, eles mudaram o mundo.

Toda sua vida é o que você imagina ser. Tudo o que você tem ou não tem, toda situação ou circunstância da sua vida é o que você imagina que ela seja. O problema é que a maioria das pessoas imagina sempre o pior. Elas estão usando o mais incrível dos instrumentos contra si mesmas. Em vez de imaginarem o melhor, as pessoas sentem medo e imaginam todas as coisas que podem dar errado. E, com toda certeza, imaginando e sentindo de tal maneira, essas coisas vão acontecer. Você recebe aquilo que você dá. Imagine e sinta o

melhor e mais elevado em todas as áreas da sua vida, porque o melhor que você pode imaginar é o caminho para a força do amor.

Quando a minha família veio para os Estados Unidos, nós trouxemos Cabbie, nosso cachorro de 15 anos, para ficar conosco. Uma noite, logo após ter chegado, Cabbie fugiu por uma pequena abertura na cerca. Os fundos da nossa casa davam para as montanhas, o que não era nada bom. Procuramos por Cabbie na escuridão de todas as ruas e trilhas que levavam à montanha, mas não conseguimos encontrá-lo.

Enquanto minha filha e eu estávamos procurando por Cabbie, sentimentos negativos de angústia começaram a tomar conta de nós. Eu sabia que tínhamos que parar de procurá-lo e mudar imediatamente a maneira como estávamos nos sentindo. Os sentimentos negativos nos diziam que esperávamos pelo pior, e tínhamos que mudar a maneira como nos sentíamos e esperar pelo melhor. Naquele momento, qualquer desfecho era possível para aquela situação, mas escolhemos ter Cabbie de volta são e salvo, imaginando e sentindo isso.

Nós voltamos para casa e fingimos que nosso cachorro estava ali conosco. Colocamos comida na sua tigela como se ele estivesse lá para comê-la. Imaginamos que ouvíamos o sino que ele usava no pescoço e que soava toda vez que ele se mexia. Falamos com ele e chamamos seu nome como se ele estivesse lá. Minha filha foi para a cama imaginando que seu velho amiguinho estava dormindo no chão, ao lado dela, como sempre fazia.

Na manhã seguinte, encontramos um aviso numa árvore perto do sopé das montanhas dizendo que alguém havia encontrado um cachorro. Era Cabbie. Como tínhamos imaginado, ele voltou são e salvo para casa.

Não importa em qual situação difícil você se encontre, imagine sempre o melhor desfecho possível e sinta isso. Quando você age assim, transforma as circunstâncias e essa situação naquilo que você quer.

Tudo o que você imagina existe

> *"Criação é apenas a projeção material do que já existe."*
>
> Srimad Bhagavatam (SÉCULO IX), ANTIGO TEXTO HINDU

Tudo o que você pode imaginar já existe! Não importa o que seja, se você pode imaginar, já existe, já foi criado.

Há cinco mil anos, as Escrituras já registravam que toda a Criação estava completa, e que tudo que pudesse ser criado já existia. Hoje, cinco mil anos depois, a física quântica confirma que tudo o pode existir na verdade já existe *agora*.

> *"Assim foram acabados os céus, a terra e todo o seu exército."*
>
> Livro do Gênesis, 2:1

Isso significa que tudo o que você pode imaginar para sua vida já existe. É impossível imaginar o que não existe. A criação está completa. Tudo o que é possível existe. Portanto, quando você se imagina quebrando um recorde mundial, ou viajando para o Oriente, estando bem de saúde ou se tornando mãe, a possibilidade de você alcançar todas essas coisas já existe, já foi criada, agora mesmo. Se elas ainda não existem, é porque você ainda não foi capaz de imaginá-las. Para trazer as coisas que você deseja e ama do mundo invisível para o visível, tudo o que você precisa fazer é irradiar amor pelo que você quer através da sua imaginação e dos seus sentimentos.

Imagine sua vida do jeito que você gostaria que ela fosse. Imagine tudo o que você deseja. Use a imaginação todos os dias, e *imagine* como seria *se* todos os seus relacionamentos fossem maravilhosos. *Imagine* como você se sentiria *se* o seu trabalho de repente deslanchasse. *Imagine* como a sua vida seria *se* você tivesse dinheiro suficiente para fazer tudo o que ama. *Imagine* como você se sentiria *se* você fosse completamente saudável. *Imagine* como você se sentiria *se* pudesse fazer tudo o que deseja fazer. Use todos os sentidos para imaginar aquilo que você quer. Se você quer viajar para a Itália, sinta o cheiro do azeite, o gosto da massa, ouça as pessoas falando italiano, toque o Coliseu, sinta-se na Itália.

Nas suas conversas e em seus pensamentos, diga sempre "*Imagine se...*" e preencha o resto da frase com o que você deseja! Se você está conversando com um amigo e ele reclama que um colega de trabalho conseguiu uma promoção e ele não, ajude-o dizendo: "Imagine se você recebesse uma outra promoção para um cargo ainda melhor, ganhando um salário muito melhor!" Porque a verdade é que a possibilidade de seu amigo ser promovido para um cargo ainda melhor ganhando um salário muito melhor já existe, e se ele puder imaginar e sentir essa possibilidade, vai recebê-la.

> *"Os átomos e as partículas subatômicas não são reais; eles formam um mundo de possibilidades, não um mundo de coisas e fatos."*
>
> Werner Heisenberg (1901-1976),
> FÍSICO ALEMÃO, GANHADOR DO PRÊMIO NOBEL

Use a sua imaginação e crie situações em que você se sinta muito bem. Tudo o que você puder imaginar está esperando por você, completamente criado no invisível, e a maneira de torná-lo visível é controlar a força do amor imaginando e sentindo o que você ama.

Depois de se formar na faculdade, uma jovem batalhou meses e meses tentando arranjar um emprego. O seu maior obstáculo era justamente imaginar ter um emprego quando ela ainda não tinha. Ela começou a escrever um diário onde agradecia pelo emprego que estava chegando para ela, mas que ainda não havia chegado. De repente, percebeu que ela estava se candidatando a um emprego atrás do outro desesperadamente, e que isso dizia em alto e bom som para a Lei da Atração que ela não tinha um emprego.

Ela então decidiu fazer algo que transformou sua vida. Decidiu usar sua imaginação para viver como se ela já tivesse um emprego. Acordava cedo todos os dias como se tivesse que sair para trabalhar. Em vez de agradecer em seu diário pelo emprego que teria, começou a agradecer pelo sucesso que tinha no trabalho e por todas as pessoas que trabalhavam com ela. À noite escolhia as roupas que usaria para trabalhar no dia seguinte. E planejava o quanto pouparia do seu salário todos os meses. Em duas semanas, ela se sentia como se realmente tivesse um emprego. E, quando ela menos esperava, um amigo lhe falou sobre uma vaga. Ela marcou uma entrevista, foi aprovada e conseguiu o emprego, e recebeu tudo aquilo que tinha escrito no seu diário.

Toda ajuda que você puder ter

> *"Toda vez que você se permite pensar no que as pessoas, coisas, condições ou circunstâncias lhe sugerem, você não está pensando no que deseja. Você não está seguindo os seus próprios desejos, mas desejos alheios a você. Use sua imaginação para determinar o que você quer pensar e fazer."*

Christian D. Larson (1874-1962),

AUTOR E PROFESSOR DO MOVIMENTO NOVO PENSAMENTO

Ao usar o Processo de Criação, lance mão de toda ajuda que encontrar para gerar o sentimento de que você já tem o que quer. Cerque-se de roupas, fotos, imagens e objetos que o ajudem a imaginar e sentir que você já tem o quer.

Se você quer roupas novas, certifique-se de que você tem espaço no seu guarda-roupa para recebê-las, deixe cabides vazios disponíveis. Se você quer ter mais dinheiro, deixe espaço em sua carteira para recebê-lo, retire todos aqueles papéis e comprovantes sem importância. Se você quer o companheiro perfeito, tem que imaginar e sentir que está com essa pessoa agora. Você dorme no meio da cama ou dorme num dos lados porque seu companheiro está no outro? Se o seu companheiro está com você, você só pode usar metade do armário, porque as coisas dele estão na outra metade, certo? Você coloca a mesa para uma ou duas pessoas? Abrir espaço é algo muito fácil de fazer. Faça o melhor que puder para que suas ações cotidianas não contradigam o seu desejo. Use sua imaginação e todo o apoio que puder ter para sentir como se você já tivesse o que quer. São coisas pequenas e simples, mas incrivelmente poderosas.

Uma mulher usou a imaginação e vários objetos para receber um cavalo. Durante toda a vida, ela sempre quis ter um cavalo, mas não tinha dinheiro para comprar e manter um. Ela queria ter um cavalo de raça, mas um cavalo de raça custava muito dinheiro. Então ela começou a imaginar exatamente o cavalo que ela gostaria de ter toda vez que olhava pela janela da cozinha. Ela colocou a foto de um cavalo de raça no papel de parede do seu computador. Sempre que podia ela desenhava cavalos. E começou a olhar cavalos que estavam à venda, mesmo que ela não tivesse dinheiro para comprá-los. Ela levou os filhos a uma loja para experimentarem botas de montaria. Olhava selas. Comprou apenas as coisas que podia: uma manta, rédeas e escova. E as deixava à vista para olhar para elas todos os dias. Agum tempo depois ela foi a uma exposição de cavalos que acontecia na cidade. Lá estavam vendendo uma rifa cujo prêmio era um cavalo de raça exatamente igual ao que ela tinha imaginado. E, claro, ela ganhou a rifa e levou o cavalo para casa.

Seus sentidos podem lhe ajudar também. Use-os para sentir que você já tem o que quer. Sinta o toque do que você quer na sua pele. Prove, sinta o cheiro, veja e ouça.

Um homem usou todos os seus sentidos para atrair para si várias ofertas de emprego. Ele se candidatou a 75 vagas em três anos e não recebeu nenhuma resposta. Mas imaginou com todos os seus sentidos que já tinha o emprego dos seus sonhos. Imaginou cada detalhe do seu novo escritório. Sentia seus dedos digitando no teclado do computador. Sentia o cheiro do lustra-móveis que era usado na sua mesa de madeira. Imaginou seus colegas. Deu nomes a eles. Conversou com eles. Teve reuniões com eles. Sentiu o gosto do café que tomavam juntos nos intervalos. Sete semanas depois foi chamado para algumas entrevistas. Em seguida participou de algumas dinâmicas de grupo. Por fim recebeu não apenas uma, mas duas ofertas de emprego, e aceitou a que lhe pareceu mais interessante: era o emprego dos seus sonhos.

Saiba que, quando você fez sua parte no Processo de Criação, a criação está feita. Você não está mais no mesmo lugar, onde não tinha o que queria. Foi para um novo lugar, que contém tudo o que você deseja, mesmo que ainda não possa ver. Saiba que você vai receber.

PRINCÍPIOS DO PODER

- *Para controlar a força do amor na sua vida e trazer-lhe algo que você quer ou transformar algo que você não quer, o Processo de Criação é sempre o mesmo. Imagine. Sinta. Receba.*

- *Sua imaginação o conecta com o que você quer. Seus desejos e sentimentos de amor criam o magnetismo, o poder magnético, que atrai o que você deseja.*

- *Imagine que você tem o que deseja. E, ao mesmo tempo, sinta amor pelo que você imagina.*

- *Deseje tudo o que quer com todo o seu coração, porque o desejo é um sentimento de amor, e você tem que irradiar amor para receber o que ama.*

- *Quando imagina alguma coisa boa que você quer e ama, você controla a força do amor. Ultrapasse todos os limites da sua imaginação. E imagine que você pode alcançar mais do melhor de tudo o que deseja.*

- *Todo desejo que você pode imaginar já existe! Não importa o que seja: se você pode imaginar, já existe.*

- *Nas suas conversas e em seus pensamentos, diga sempre "Imagine se..." e preencha o resto da frase com o que você deseja!*

- *Cerque-se de roupas, fotos, imagens e objetos que o ajudem a imaginar e sentir que você já tem o quer.*

- *Seus sentidos podem lhe ajudar também. Use-os para sentir que você tem o que você quer. Sinta, prove, sinta o cheiro, veja e ouça.*

- *Quando fez sua parte no Processo de Criação, você foi para um novo lugar que contém tudo o que você deseja, mesmo que você ainda não possa ver. Saiba que você vai receber.*

SENTIMENTO
É CRIAÇÃO

"Toda vez que seus sentimentos estão em conflito com o seu desejo, o sentimento sairá vencedor."

Neville Goddard (1905-1972),

PROFESSOR E ESTUDIOSO DO MOVIMENTO NOVO PENSAMENTO

Campos de sentimentos

Quero que você entenda o que acontece com você quando irradia amor através de sentimentos bons, porque isso é realmente incrível. Seus sentimentos criam um campo magnético que o envolve completamente. Cada pessoa tem um campo magnético, e onde quer que vá o campo magnético vai junto. Você provavelmente já viu imagens antigas que mostram uma aura envolvendo alguém. Bem, a aura que envolve uma pessoa é, na verdade, o seu campo magnético, e é através do magnetismo do campo que o envolve que você atrai tudo para sua vida. O que determina, a cada momento, se seu campo magnético é positivo ou negativo são os seus sentimentos!

Toda vez que você irradia amor através dos seus sentimentos, palavras e ações, você acrescenta mais amor a esse campo à sua volta. Quanto mais amor você irradia, maior e mais forte é o seu campo magnético. O que quer que esteja em seu campo magnético está sendo atraído para ele, então, quanto mais amor no seu campo, maior o poder que você tem para atrair as coisas que ama. Você pode alcançar um estágio onde o poder do seu campo magnético é tão positivo e forte que, mal você imagina e sente algo bom, isso imediatamente aparece na sua vida. Esse é o incrível poder que você tem. Esse é o fantástico poder da força do amor.

> *"Através da sua capacidade de pensar e sentir, você domina toda a criação."*
>
> Neville Goddard (1905-1972),
>
> PROFESSOR E ESTUDIOSO DO MOVIMENTO NOVO PENSAMENTO

Quero dividir com você algo corriqueiro que me aconteceu e que demonstra como a força do amor age rápido. Eu amo flores e faço o possível para ter sempre flores na minha casa, porque elas me deixam feliz. Normalmente compro flores toda semana na feira, mas numa semana de muita chuva não havia flores na feira. Achei que não ter flores era algo bom porque, quando elas aparecessem, eu as apreciaria e amaria ainda mais. Em vez de me sentir desapontada, escolhi sentir amor, então reenchi meu campo magnético com o amor pelas flores.

Dali a duas horas vieram me entregar flores em casa. Do outro lado do planeta, minha irmã me mandou um buquê de flores enorme para agradecer por algo que eu tinha feito. Quando você consegue irradiar amor, não importa que circunstâncias você esteja vivendo, vai conseguir transformá-las.

Agora você consegue ver por que é tão importante escolher o amor, porque, toda vez que irradia amor, você aumenta e multiplica o amor no campo magnético que o envolve. Quanto mais amor você irradia no seu dia a dia, maior o poder do amor no seu campo magnético, que vai fazer com que tudo o que você deseja caia aos seus pés.

Quando você irradia amor, sua vida se torna mágica. Minha vida não era mágica como é agora. Minha vida costumava ser de muita luta e muitas dificuldades, mas descobri algo fantástico sobre a vida, e tudo o que descobri estou divindo com você neste livro. Nada é grande demais para a força do amor. Não há distância nem obstáculo que ela não possa superar. O tempo não pode impedir o seu caminho. Você pode transformar tudo na sua vida ao controlar o maior poder do Universo, e tudo o que você tem que fazer é irradiar amor.

O princípio da criação

Se você tende a pensar que as coisas que deseja são muito grandes ou difíceis de alcançar, está fora de perspectiva pensando desse jeito. Quando você pensa que algo é muito grande ou difícil, na verdade está dizendo para a Lei da Atração: "Isso é grande demais e deve ser muito difícil de conseguir, e provavelmente vai levar muito tempo." E você está certo, porque, não importa o que você pense e sinta, é exatamente isso que vai receber. Se você pensa que o seu desejo é muito grande e difícil de conseguir, vai criar muitas dificuldades à sua realização e vai ser necessário um longo tempo para receber o que deseja. Mas não existe pequeno ou grande, fácil ou difícil para a Lei da Atração, e também não existe o conceito de tempo.

Para ajudá-lo a ter a perspectiva exata da criação, não importa quão grande o seu desejo possa parecer, pense nele como sendo do tamanho de um grão de areia. Você pode querer uma casa, um carro, tirar férias, mais dinheiro, o par perfeito, o emprego dos seus sonhos, ou filhos. Você pode desejar ter um corpo 100% saudável. Ou ser aprovado no vestibular de uma das melhores universidades do país, quebrar um recorde mundial, tornar-se presidente da república, ser um ator de sucesso, ou um advogado, escritor ou professor. Não importa o que você quer, pense nisso como sendo do tamanho de um grão de areia, porque para a força do amor o que você quer é menor do que isso.

"Nossas dúvidas nos traem e nos fazem perder o que, com frequência, poderíamos ganhar."

William Shakespeare (1564-1616),
POETA E DRAMATURGO INGLÊS

Se você percebe que sua fé está oscilando, faça um círculo grande numa folha de papel, um pequeno ponto dentro desse círculo e, ao lado desse pequeno ponto, escreva o nome do seu desejo. Toda vez que precisar ou quiser, olhe para esse desenho, e saiba que o seu desejo é do tamanho de um grão de areia para a Lei da Atração.

Como transformar algo negativo

Se existe algo negativo na sua vida e você quer mudar isso, o processo é o mesmo: irradiar amor ao imaginar e sentir que você tem o que deseja. Lembre-se de que algo negativo é uma falta de amor, de modo que você tem que imaginar o oposto da situação negativa, porque o seu oposto é amor. Por exemplo, se você está doente e quer ficar curado, irradie amor por ter um corpo saudável.

Se você usa o Processo de Criação para transformar algo negativo, saiba que não é necessário converter o negativo em positivo. Isso deve ser muito difícil de fazer, e não é assim que a criação funciona. Criação significa criar algo novo, que automaticamente substitui o velho. Você não tem que pensar no que quer transformar. Tudo o que precisa fazer é irradiar amor pelo que você quer, e a força do amor vai substituir a negatividade para você.

Se uma pessoa sofre um acidente, recebe atendimento médico, mas não apresenta melhoras, isso significa que todos estão imaginando e sentindo os ferimentos que essa pessoa sofreu mais do que imaginando e sentindo a sua recuperação completa. A maneira de reconduzi-la a uma recuperação completa é imaginar e sentir que ela já alcançou isso, *mais* do que imaginar e sentir que ela está lutando por isso. O fato de se poder imaginar uma recuperação completa significa que ela já existe. Impregne seu campo magnético com sentimentos bons sobre tudo e por tudo que faz você se sentir bem. Incremente o amor em todas as áreas da sua vida. Sinta-se bem o máximo que puder, porque cada momento em que você irradia amor lhe traz uma recuperação completa.

"Os sentimentos são o seu deus."

Chanakya (350-275 A.C.),
POLÍTICO E ESCRITOR INDIANO

Se você deseja transformar sua saúde, suas finanças, seus relacionamentos ou qualquer outra coisa em sua vida, o processo é o mesmo! Imagine o que você quer. Imagine e sinta o amor de ter o que deseja, e sinta-se como se já tivesse isso agora. Tente ficar sete minutos por dia imaginando e sentindo que você tem o que deseja. Faça isso todos os dias até sentir-se como se já tivesse o que você deseja. Faça isso até que o seu desejo lhe pertença, da mesma maneira como você sabe que o seu nome lhe pertence. Para algumas coisas você vai alcançar esse estado em apenas dois ou três dias. Para outras você vai precisar de mais tempo. Então apenas siga sua vida irradiando amor e bons sentimentos o máximo que puder, *porque, quanto mais amor você irradia, mais rápido irá receber aquilo que deseja*.

Depois de ter imaginado e sentido que tem o que deseja, você literalmente está num mundo novo, ao lado daquilo que você imaginou. Então não contradiga esse mundo novo contando a todos sobre aquele seu problema de saúde que os médicos não conseguem resolver, porque assim você estará imaginando o pior outra vez, e é isso que você vai receber. Se você imagina o melhor, é isso que vai receber. Se alguém lhe perguntar como você vai de saúde, diga: "Estou me sentindo cem por cento novo." Ou então: "O que me aconteceu foi uma bênção, porque me fez apreciar mais do que nunca o meu corpo e a minha saúde." E, se você tiver coragem suficiente, diga: "Estou totalmente bom."

Você não pode falar de algo que não quer para si sem se sentir mal. É simples assim, mas as pessoas estão tão acostumadas a não se sentirem bem na maior parte do tempo que nem notam o quanto ficam mal quando imaginam e falam sobre o que não querem. Quando você toma consciência de como se sente e presta atenção em seus sentimentos, alcançará um estágio em que será insuportável para você não irradiar bons sentimentos, nem que seja por um segundo. Você ficará tão acostumado a sentir-se bem, terá tanta consciência de seus sentimentos, que se eles oscilarem mesmo que só um pouquinho você vai perceber e restabelecer sua vibração positiva imediatamente. O certo seria você se sentir bem e feliz na maior parte do tempo, porque o seu destino é ter uma vida maravilhosa, e não há outra maneira de alcançá-la.

"Estou determinada a ser alegre e feliz em qualquer situação em que me encontre; aprendi por experiência própria que grande parte da nossa felicidade ou infelicidade depende exclusivamente da nossa disposição para uma ou outra, e não necessariamente das circunstâncias em que nos encontramos."

Martha Washington (1732-1802),
EX-PRIMEIRA-DAMA, MULHER DO PRIMEIRO PRESIDENTE DOS ESTADOS UNIDOS, GEORGE WASHINGTON

Como eliminar os maus sentimentos

Você pode transformar qualquer coisa na sua vida apenas mudando a maneira como se sente. Quando você muda a maneira como se sente em relação a um determinado assunto, o assunto muda também. Mas, ao mudar a maneira como você se sente, não tente se livrar dos maus sentimentos porque eles são na verdade apenas falta de amor. Em vez disso, coloque mais amor na sua vida. Não tente se livrar da raiva ou da tristeza; elas irão embora assim que você colocar mais amor na sua vida. Não há nada que você tenha que arrancar de si mesmo. Quando você traz mais amor para sua vida, todos os sentimentos ruins desaparecem.

Há apenas uma força na vida, e essa força é o amor. Você se sente bem porque está cheio de amor dentro de si, e se sente mal porque falta amor dentro de si. Todos os seus sentimentos são gradações do amor.

Pense no amor como sendo a água num copo. O copo é o seu corpo. Um copo está vazio quando tem pouca água dentro de si. Você não pode alterar o volume de água declarando guerra ao vazio e tentando eliminá-lo a qualquer custo. O vazio só vai embora quando você enche o copo com água. Quando você tem sentimentos ruins, está vazio de amor. E quando você coloca mais amor dentro de si e da sua vida, os sentimentos ruins desaparecem.

Não resista aos sentimentos ruins

Tudo tem um lugar certo na vida, até mesmo os sentimentos ruins. Sem eles, você nunca saberia como é se sentir bem. Você sentiria apenas um grande tédio porque não teria nada para comparar com o que está sentindo. Não saberia o que é se sentir realmente feliz, animado, alegre. É pela tristeza que sabemos como é bom estar alegre. Você não pode tirar todos os sentimentos ruins da vida porque eles são parte integrante dela, e sem eles você não saberia o que seriam os sentimentos bons!

Se você se sente mal em relação aos seus sentimentos ruins, está lhes dando mais poder. Eles não apenas ficarão piores, mas vão aumentar a negatividade que você está irradiando. Agora que você já entende que os sentimentos ruins não trazem a vida que você deseja, deve ficar mais atento para não deixar que eles tomem conta de você. Você comanda seus sentimentos; então, se sentir que um sentimento ruim está se apoderando de você, relaxe para descarregar essa energia.

> *"Existe um mundo interior, um mundo de pensamento, sentimento e poder, de luz e beleza. E embora invisíveis, suas forças são poderosas."*
>
> Charles Haanel (1866-1949),
>
> EMPRESÁRIO E AUTOR DO MOVIMENTO NOVO PENSAMENTO

A vida deve ser divertida. Quando você se diverte, sente-se bem e recebe coisas maravilhosas. Quando leva a vida muito a sério, você recebe coisas muito sérias. A diversão traz a vida que você deseja, e levar as coisas muito a sério traz uma vida que você tem que levar muito a sério. Você tem o poder sobre a sua vida e pode usá-lo para delineá-la da maneira que desejar, mas, por favor, relaxe.

Para relaxar em relação aos sentimentos ruins, você tem que pensar neles como cavalos selvagens. Existe um cavalo raivoso, um cavalo ressentido, um cavalo que reclama, um que é mal-humorado, outro que está doente, um que não está bem-disposto e outro que está irritado. Você pode dar nomes a eles, o estábulo está cheio dos cavalos dos sentimentos ruins. Se fico desapontada com algo que aconteceu, digo para mim mesma: "Por que você montou no cavalo do desapontamento? Desça imediatamente porque ele só vai levá-la a mais desapontamentos, e você não quer ir aonde ele pode levá-la." Imagino que os sentimentos ruins são cavalos selvagens nos quais posso montar, e se monto num deles também posso desmontar. Não vejo os sentimentos ruins como parte de mim ou de qualquer outra pessoa. Os sentimentos não são parte. Um sentimento ruim é algo que você se permite sentir, mas pode escolher descer imediatamente desse cavalo quase tão rápido quanto subiu nele.

Pensar nos sentimentos ruins como cavalos selvagens nos quais você pode montar é uma maneira de tirar o poder deles. Se alguém perto de você está de mau humor, os sentimentos ruins dessa pessoa têm bem menos poder de afetá-lo se imaginar que essa pessoa montou num cavalo mal-humorado. Você não levará as coisas para um lado assim tão pessoal. Mas se você levar as coisas por esse lado e ficar mal-humorado por tabela, aí você vai montar com ela no mesmo cavalo!

"Reaja de maneira inteligente mesmo a um tratamento não inteligente."

Lao-Tsé (C. SÉCULO VI A.C.),
FILÓSOFO CHINÊS, FUNDADOR DO TAOISMO

E faço assim com tudo na vida que eu não quero: uso minha imaginação para me divertir e tirar o poder do que eu não quero. Às vezes ver a mim mesma e a outras pessoas cavalgando cavalos selvagens em situações variadas da vida me faz rir, e se você pode rir de um sentimento ruim, isso é realmente muito bom. Muda toda sua vida.

Então, se você tem sentimentos ruins em relação ao que quer que seja, não dê a eles mais poder culpando-se por senti-los. Se fizer isso, vai apenas esporear um cavalo selvagem, e ele vai ficar ainda mais agitado negativamente. A ideia aqui não é odiar os sentimentos ruins, mas escolher os sentimentos bons, e escolhê-los com mais frequência. Quando você resiste aos sentimentos ruins, eles se tornam mais fortes. Quanto mais você não quer ter sentimentos ruins, mais eles se fortalecem. Quanto mais você resiste a qualquer coisa na vida, mais você a traz para você. Então não ligue para os sentimentos ruins que você possa ter. Não resista a eles de maneira nenhuma, assim você tira todo o poder deles.

PRINCÍPIOS DO PODER

- *Ao redor de cada pessoa há um campo magnético. Aonde quer que você vá, seu campo magnético vai com você.*

- *Você atrai todas as coisas pelo magnetismo do seu campo. A todo momento, seus sentimentos determinam se seu campo magnético é positivo ou negativo.*

- *Toda vez que você irradia amor através de sentimentos, palavras e ações, acrescenta mais amor o campo magnético ao seu redor.*

- *Quanto mais amor há no seu campo magnético, maior o poder que você tem de atrair tudo o que ama para sua vida.*

- *Imagine que tudo o que você deseja é do tamanho de um grão de areia. Para a força do amor, tudo o que você deseja é menor do que um grão de areia.*

- *Você não tem que transformar o negativo em positivo. Apenas irradie amor pelo que você deseja, porque a criação do que você deseja substitui a negatividade.*

- *Todos os dias concentre-se durante sete minutos para imaginar e sentir o que você deseja. Faça isso até que saiba que o seu desejo pertence a você, assim como sabe que seu nome lhe pertence.*

- *Há apenas uma força na vida, e essa força é o amor. Você tem sentimentos bons porque está repleto de amor, e tem sentimentos ruins porque falta amor em você e na sua vida. Todos os seus sentimentos são gradações do amor.*

- *Relaxe em relação aos sentimentos ruins. Imagine que eles são como cavalos selvagens nos quais você pode montar. Se você monta neles, também pode desmontar. Você pode escolher descer imediatamente desse cavalo quase tão rápido quanto subiu nele.*

- *Mude o que você irradia e irá sempre, sem exceção alguma, mudar o que vai receber, porque essa é a Lei da Atração. Essa é a Lei do Amor.*

A VIDA SEGUE VOCÊ...

"O destino não é uma questão de sorte. É uma questão de escolha."

William Jennings Bryan (1860-1925),
ADVOGADO E POLÍTICO NORTE-AMERICANO

A vida *segue* você. Absolutamente tudo pelo que você passa na sua vida é o resultado do que você irradiou por seus pensamentos e sentimentos, quer tenha percebido o que irradiou ou não. A vida não está acontecendo com você... A vida o está seguindo. O seu destino está em suas mãos. Tudo o que você pensar e tudo o que você sentir vai decidir sua vida.

Tudo na vida se apresenta a você para que escolha o que *você* ama! A vida é uma catálogo de produtos, e você escolhe aquilo que ama nesse catálogo. Mas você está realmente escolhendo as coisas que ama, ou está ocupado demais julgando e rotulando as coisas ruins? Se sua vida está longe de ser maravilhosa, você inconscientemente está rotulando todas as coisas ruins. Está deixando as coisas que você julga serem ruins distraírem você do propósito da sua vida. Porque o propósito da sua vida é amar. O propósito da sua vida é ter alegria. O propósito da sua vida é escolher as coisas que você ama e desviar-se daquelas que você não ama.

Escolha o que você ama

Quando você vê o carro dos seus sonhos descendo a rua, a vida está lhe apresentando aquele carro! O que você sente quando vê o carro dos seu sonhos é tudo, porque, se você escolhe sentir amor por aquele carro, vai trazer o carro dos seus sonhos para você. Mas se sente inveja ou ciúme porque outra pessoa está dirigindo o carro dos seus sonhos, você acabou de perdê-lo. A vida lhe apresenta o carro para que você possa escolhê-lo. E você o escolhe sentindo amor por ele. Você está percebendo que não importa nada se outra pessoa tem algo e você não?A vida está lhe apresentando todas as coisas, e se você irradia amor por elas, as está trazendo para sua vida.

Quando você vê um casal apaixonado na rua, e você quer muito encontrar alguém, a vida está apresentando aquele casal apaixonado para que você o escolha. Mas se você se sente triste e solitário quando vê o casal apaixonado, está irradiando negatividade, e é como se dissesse: "Quero ser triste e solitário." Você tem que irradiar amor pelo que deseja. Se você está acima do peso e vê alguém na rua com um corpo espetacular, o que você sente? A vida está apresentando aquele corpo maravilhoso para que você o escolha, mas, se você se sente mal porque não tem aquele corpo, é como se dissesse: "Eu não quero um corpo como aquele, quero continuar acima do peso." Se você está lutando com uma doença e vive cercado de gente saudável, o que você sente? A vida está lhe apresentando pessoas saudáveis, assim você pode escolher a saúde, e quando sente amor pela saúde à sua volta, mais do que se sente mal porque não está com saúde nesse momento, está escolhendo a saúde para você.

Quando você se sente bem em relação a alguma coisa que alguém tem, está trazendo isso para você. Quando se sente bem com o sucesso de outra pessoa, com a felicidade de outra pessoa, com todas as coisas boas que uma outra pessoa possa ter, você está escolhendo essas coisas no catálogo de produtos da vida e as está trazendo para você.

Se você encontra uma pessoa que tem qualidades que você gostaria de ter, ame essas qualidades e sinta-se bem por aquela pessoa ter essas qualidades, assim você as está trazendo para si mesmo. Se alguém é inteligente, bonito ou talentoso, ame essas qualidades e as escolha para você.

Se quer se tornar mãe e vem tentando engravidar há muito tempo, então irradie amor e sinta-se bem toda vez que vir um pai ou mãe com uma criança na rua. Se você se sentir deprimida porque ainda não conseguiu ter um filho, está repelindo e afastando as crianças de você. A vida está lhe apresentando crianças toda vez que você as vê, então escolha-as.

Quando você está jogando futebol e o outro time vence, quando um colega de trabalho ganha um aumento, alguém ganha na loteria, quando um amigo ganha um fim de semana num *resort* com a mulher ou compra uma casa nova e linda, quando o filho deles recebe uma bolsa de estudo no colégio, você deve ficar tão empolgado quanto eles. Deve ficar empolgado e feliz como se isso tivesse acontecido com você, porque assim você está dizendo sim para todas essas coisas, e assim está irradiando amor por todas essas coisas e vai trazê-las para sua vida.

Quando você vê o carro dos seu sonhos, um casal feliz e apaixonado, um corpo espetacular, bebês e crianças junto aos pais, qualidades excepcionais numa só pessoa, ou o que quer que você queira muito, isso significa que você está na mesma frequência vibracional de tudo isso. Fique entusiasmado, porque seu entusiasmo escolhe tudo isso para você.

Tudo na vida se apresenta a você para que possa escolher o que você ama e o que você não ama, mas apenas o amor lhe traz o que você deseja. O catálogo de produtos da vida contém muitas coisas que você não ama, então não as escolha tendo sentimentos ruins em relação a elas. Julgar alguém achando que essa pessoa é má atrai negatividade para você. Sentir inveja ou ciúme de algo que uma pessoa tem traz negatividade para você e afasta, com uma força poderosa, aquilo que você deseja. Apenas o amor lhe traz o que você deseja!

"Esse é o milagre que acontece a todo momento àqueles que amam de verdade: quanto mais eles dão, mais eles têm."

Rainer Maria Rilke (1875-1926),

POETA AUSTRÍACO

A lei de uma só pessoa: você!

Existe uma fórmula simples na Lei da Atração que você pode usar para ficar numa posição confortável em relação a qualquer pessoa, situação ou circunstância. Para a Lei da Atração só existe uma pessoa no mundo: você! Não existe nenhuma outra no mundo, nem nada que seja relevante para ela. Existe apenas você, porque a Lei da Atração responde aos seus sentimentos. É apenas o que você irradia que conta. E isso vale para todas as pessoas. Assim, a Lei da Atração é, na verdade, a *sua* lei. Existe apenas você, ninguém mais. Para a Lei da Atração, a outra pessoa é você mesmo, você é a outra pessoa e todas as outras ao mesmo tempo, porque, o que quer que sinta em relação a qualquer outra pessoa, você está trazendo para si mesmo.

O que você sente em relação a uma outra pessoa, o que pensa, o que diz, o que faz, você está fazendo para si mesmo. Critique e julgue, e você será criticado e julgado. Ame e aprecie, e você será amado e apreciado. Não existe ninguém mais para a Lei da Atração, portanto não faz a menor diferença se alguém tem o que você deseja. Se você sentir amor pelo que deseja, vai trazer o que deseja para *sua* vida. Em relação a tudo o que você não ama, apenas afaste-se, sem julgar, e você não vai trazer nada disso para ela.

Só existe sim para a Lei da Atração

Afaste-se das coisas que você não ama e não irradie em relação a elas nenhum sentimento. Não diga não às coisas que você não ama, porque isso vai trazê-las para si mesmo. Quando diz não para as coisas que não ama, você se sente mal em relação a elas, tem sentimentos ruins em relação a elas e vai receber esses sentimentos ruins na forma de circunstâncias negativas na sua vida.

Você não pode dizer não a nada, porque, quando diz "Não, eu não quero isso", você está dizendo *sim* para a Lei da Atração. Quando você diz "O tráfego está ruim", "O serviço aqui é péssimo", "Eles estão sempre atrasados", "Está muito barulhento aqui", "Esse motorista é maluco", "Nossa, nunca esperei tanto", você está dizendo *sim* para tudo isso e está trazendo mais de tudo isso para sua vida.

Afaste-se das coisas que você não ama e não irradie nenhum sentimento em relação a elas, porque elas estão bem assim como estão, mas não têm nenhum espaço na sua vida.

"Não ver o mal, não ouvir o mal, não falar o mal."

Máxima do santuário Toshogu (SÉCULO XVII),
EM NIKKO, JAPÃO

Em vez disso, diga *sim* quando você vê algo que ama. Diga *sim* quando você ouve algo que ama. Diga *sim* quando você prova algo que ama. Diga *sim* quando você sente o cheiro de algo que ama. Diga *sim* quando você toca em algo que ama. Não importa se você tem isso ou não, diga *sim*, porque dessa maneira você está escolhendo o que ama ao irradiar amor.

Não existe limite, tudo é possível se você realmente quer, se você realmente deseja. Não há falta no Universo. Quando parece que falta alguma coisa, o que realmente está faltando é amor. Não existe falta de saúde, de dinheiro, de felicidade. A oferta é igual à procura. Dê amor e você vai receber amor.

Sua vida, sua história

Você está criando a história da sua vida, e o que essa história está contando sobre você? Você acredita que existem coisas que pode fazer e outras que não pode? Essa é a história que você está contando sobre si mesmo? Porque essa história não é a verdadeira.

Não escute se alguém disser que você é menos do que outra pessoa. Não escute se alguém disser que você tem qualquer tipo de limites. Não escute se alguém disser que você não pode fazer o que ama e ganhar a vida fazendo isso. Não escute se alguém disser que você não é tão valioso quanto os homens e mulheres mais importantes de todos os tempos. Não escute se alguém disser que você não é bom o bastante e que você tem que provar o quanto é bom. Não escute se alguém disser que você não pode ter aquilo que ama, fazer aquilo que ama, ser aquilo que ama. Se você acredita nisso, está colocando limites para si mesmo, mas o mais importante de tudo: isso não é verdade. Não existe nem uma coisa sequer que seja boa demais para você, ou boa demais para ser verdade.

A força do amor diz: "Tudo o que você der vai receber de volta." Ela não diz que você não é bom o suficiente para receber o que deseja, diz? A força do amor diz: "Irradie amor pelo que você deseja ser, fazer ou ter, e vai receber o que deseja ser, fazer ou ter." Ela não diz que você não é bom o suficiente para receber o que deseja, diz? Você vale e merece exatamente o que é. Você já é bom o suficiente agora. Se você sente que fez algo de errado, compreender e aceitar o que fez é o perdão para a Lei da Atração.

O mundo real

> *"No começo havia apenas probabilidades. O Universo só pôde existir a partir da observação de alguém. Não importa se o observador só apareceu bilhões de anos depois. O Universo existe porque temos consciência dele."*
>
> Martin Rees (1942-),
>
> COSMÓLOGO INGLÊS

Quero convidar você para um passeio pelos bastidores do mundo visível, porque muitas coisas que se veem não são tão reais quanto se pensa. Alguns poucos passos aventureiros no invisível podem mudar o modo como você enxerga o mundo, e pode torná-lo livre para ter uma vida ilimitada.

A maior parte das coisas em que você acredita sobre o mundo real não é verdade. Você é muito mais do que pode perceber. A vida e o Universo são muito mais do que pode perceber. Você pode pensar que existe um número limitado de coisas no mundo. Pode pensar que existe uma quantidade limitada de dinheiro, de saúde, de recursos, mas isso não é verdade. Não existe falta no Universo. A física quântica nos mostra que existem infinitos planetas Terra e infinitos Universos e que nos movemos da realidade de um planeta Terra e de um Universo para o outro a cada fração de segundo. Esse é o mundo real que emerge da ciência.

"No nosso Universo estamos sintonizados na frequência que corresponde à realidade física. Mas existe um número infinito de realidades paralelas, coexistindo conosco numa mesma sala; apenas não somos capazes de sintonizá-las."

Steven Weinberg (1933-),
FÍSICO NORTE-AMERICANO,
GANHADOR DO PRÊMIO NOBEL

Você pode pensar que existe uma escassez de tempo no mundo real, porque vive correndo contra o tempo, mas Albert Einstein afirmou que o tempo é uma ilusão.

"A distinção entre passado, presente e futuro é apenas uma ilusão obstinada e persistente."

Albert Einstein (1879-1955),
FÍSICO ALEMÃO QUE FORMULOU
A TEORIA DA RELATIVIDADE, GANHADOR
DO PRÊMIO NOBEL DE FÍSICA EM 1921

Você pode pensar que o mundo real é feito de coisas vivas e mortas. Mas no Univeso tudo está vivo, nada está morto. As estrelas, sóis, planetas, terra, ar, água, fogo, todo objeto que você vê está fervilhando de vida. Esse é o mundo real que emerge.

"Existe um sentido nas árvores que permite que elas sintam o seu amor e reajam a ele. Mas elas não reagem ou demonstram o prazer que sentem da nossa maneira, nem de nenhuma maneira que possamos entender agora."

Prentice Mulford (1834-1891),
AUTOR AMERICANO QUE FUNDOU O MOVIMENTO
CONHECIDO COMO NOVO PENSAMENTO

Você pode acreditar que o mundo real é tudo o que você pode ver, e que tudo o que você não pode ver não é real. No entanto, a cor que vemos nas coisas não é, na verdade, a cor real que elas têm. As coisas absorvem todas as cores que têm realmente e refletem as que não têm, e é essa a cor que você vê. O céu, por exemplo, tem, na verdade, todas as cores menos o azul.

Existem vários sons que não podemos ouvir porque a frequência deles está além da nossa capacidade auditiva, mas eles são reais. Você não pode ver os raios ultravioleta ou infravermelhos, porque a frequência deles está além do que o seu olho pode ver, mas eles são reais. Você pode pensar em todas as frequências do espectro da luz como o monte Everest, e tudo o que conseguimos ver é menor do que uma bolinha de pingue-pongue!

Você pode acreditar que o mundo real é feito de coisas que pode ver e tocar. Mas, na verdade, nada é realmente sólido. A cadeira em que está sentado agora é uma força de energia em movimento. Ela é sobretudo espaço. Então, quão real é a cadeira em que você está sentado?

> *"Um homem sábio, ao reconhecer que o mundo não é nada além de ilusão, não age como se ele fosse real, e por isso escapa do sofrimento."*
>
> Siddharta Gautama, o Buda (563-483 A.C.),
>
> FUNDADOR DO BUDISMO

Você pode acreditar que sua imaginação é apenas pensamentos e sonhos e que não tem nenhum poder no mundo real. No entanto, um dos obstáculos para os cientistas provarem que algo é verdade é justamente conseguir remover todas as suas crenças, porque o que o cientista imagina e acredita ser o resultado de um experimento *afeta* o resultado desse experimento. Esse é o poder da imaginação e das crenças do homem. Assim como aquilo em que o cientista acredita afeta o resultado de um experimento, aquilo em que você acredita afeta o resultado da sua vida.

Suas crenças, sejam elas verdadeiras ou falsas, formam o seu mundo. O que você imagina e *sente* ser verdade cria a sua vida porque isso é o que você está irradiando para a Lei da Atração, e é isso que vai voltar para você. Sua imaginação é mais real do que o mundo que você vê, porque esse mundo vem do que você imagina e acredita. Aquilo em que você acredita e aquilo que *sente* é o que será a sua vida. Se você acredita que não pode ter a vida dos seus sonhos, então a Lei da Atração seguirá o que você disser, e esse será o seu mundo real.

"Acreditar nas coisas que você pode ver e tocar não é acreditar de verdade. Acreditar no que é invisível é um triunfo e uma bênção."

Abraham Lincoln (1809-1865),
DÉCIMO SEXTO PRESIDENTE DOS ESTADOS UNIDOS

Relatos de limites e impossibilidades passaram de uma geração à outra na história da humanidade, mas é chegado o momento de se falar a verdade.

A verdade

A verdade é que você é um ser ilimitado. A verdade é que o mundo e o Universo são ilimitados. Há um mundo de possibilidades que você não pode ver, mas eles existem. Você tem que começar a contar uma história diferente! Tem que começar a contar a história da vida maravilhosa que você nasceu para ter, porque toda história que você contar, seja ela boa ou má, a Lei da Atração vai garantir que você a receba, e ela será a história da sua vida.

Imagine e *sinta* tudo o que você deseja, e essas serão as imagens do que você vai receber na sua vida. Irradie amor o máximo que puder e sinta-se bem o máximo que puder, e a força do amor vai cercar você de pessoas, circunstâncias e acontecimentos que você ama. Você pode ser tudo que quiser. Pode fazer tudo que quiser. Pode ter tudo o que quiser.

O que você ama? O que você quer?

Esqueça tudo o que você não ama na sua história de vida e guarde consigo as coisas que ama. Se você se apega às coisas negativas do seu passado, você continua trazendo-as de volta para sua história, toda vez que se lembra delas e faz com que sejam imagens da sua vida agora!

Esqueça as coisas da sua infância que você não ama e guarde as que você ama. Esqueça as coisas da sua adolescência e idade adulta que você não ama, guardando apenas as coisas boas. Guarde apenas as coisas boas de toda a sua vida. Todas as coisas negativas do passado estão feitas, acabadas. Você não é a mesma pessoa que era, então por que trazê-las de volta se elas fazem você se sentir mal? Você não tem que desencavar as coisas negativas do passado. Não as coloque em sua história outra vez.

"Uma força poderosa, eterna e além da nossa compreensão nos empurra sempre para frente. Mas enquanto estamos sendo empurrados, muitos de nós hesitam e olham para trás. Inconscientemente estão se opondo a essa força."

Prentice Mulford (1834-1891),

AUTOR AMERICANO QUE FUNDOU O MOVIMENTO CONHECIDO COMO NOVO PENSAMENTO

Se você continuar a contar a história em que é a vítima, as imagens dessa história irão atuar repetidas vezes na sua vida. Se você continuar a contar a história em que não é uma pessoa muito inteligente, ou em que não é uma pessoa atraente ou talentosa como tanta gente que conhece, você vai estar certo, porque essas se tornarão as imagens da sua vida.

Quando você preencher sua vida com amor, vai descobrir que não pode ter culpa, ressentimento ou qualquer outro sentimento negativo. E aí você vai começar a contar a melhor história de todas, e a força do amor vai iluminar sua vida com as imagens da história real de uma vida maravilhosa.

"O amor é o maior poder da Terra. Ele pode conquistar todas as coisas."

Peace Pilgrim (1908-1981),

CUJO NOME VERDADEIRO É MILDRED LISETTE NORMAN, ATIVISTA PELA PAZ NORTE-AMERICANA

PRINCÍPIOS DO PODER

- *A vida lhe apresenta todas as coisas para que você escolha o que ama.*

- *Se alguém consegue algo que você deseja, fique entusiasmado como se fosse você que tivesse conseguido. Se você sente amor pelo que essa pessoa conseguiu, vai trazer a mesma coisa para sua vida.*

- *Quando você vê as coisas que deseja, está na mesma frequência vibracional delas!*

- *O catálogo de produtos da vida contém coisas que você não ama, então não as escolha ao ter em relação a elas sentimentos ruins.*

- *Afaste-se das coisas que você não ama, não tenha em relação a elas nenhum sentimento. Em vez disso, diga sim sempre que vir algo que você ama.*

- *A Lei da Atração está respondendo aos seus sentimentos. O que você irradia é o que conta. A Lei da Atração é a lei de uma só pessoa: você!*

- *Critique e julgue e você receberá isso de volta. Ame e aprecie e você dará isso a si mesmo.*

- *Quando parece que está faltando alguma coisa, o que está realmente faltando é amor.*

- *Você é bom o suficiente agora. Se você fez algo errado, compreender e aceitar o que fez é o perdão para a Lei da Atração.*

- *Suas crenças, sejam elas verdadeiras ou falsas, formam o seu mundo.*

- *Sua imaginação é mais real que o mundo que você vê, porque esse mundo vem da sua imaginação e das suas crenças! Aquilo em que acredita e aquilo que sente ser verdade é o que será a sua vida.*

- *Toda história que você conta, não importa se boa ou má, será a história da sua vida. Então comece a contar a história da vida maravilhosa que você nasceu para ter, e a Lei da Atração fará com que você a receba.*

AS CHAVES DO PODER

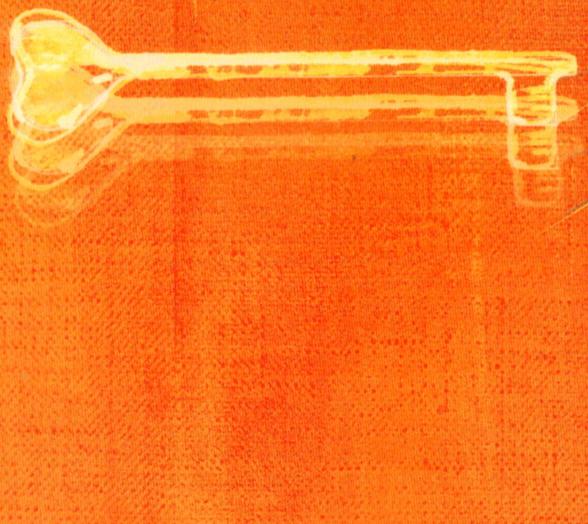

"Seus bens mais preciosos e seus maiores poderes são invisíveis e intangíveis. Ninguém pode tirá-los de você. Somente você pode dá-los a alguém. E você vai receber abundância em troca."

W. Clement Stone (1902-2002),

HOMEM DE NEGÓCIOS, FILANTROPO E AUTOR DE LIVROS DE DESENVOLVIMENTO PESSOAL NORTE-AMERICANO

As chaves do poder são os mais poderosos caminhos para controlar a força do amor e receber a vida que você nasceu para viver. Elas são tão simples e fáceis que qualquer criança pode segui-la. Cada chave vai despertar um imenso poder dentro de você.

A chave do amor

Para usar o amor como o poder supremo na sua vida, você deve amar como nunca amou antes. Apaixone-se pela vida! Por mais que você tenha amado, dobre esse sentimento, multiplique-o por dez, multiplique-o por cem, por mil, e por um milhão. Não há limite, não há um teto, para a quantidade de amor que você pode sentir, e ele está dentro de você! Você é feito de amor. Essa é a sua essência e natureza verdadeira, a verdadeira essência e natureza da vida e do Universo, e você pode amar muito mais do que já amou antes, muito mais do que é capaz de imaginar.

Quando você se apaixona pela vida, as limitações desaparecem. Você quebra as barreiras em relação ao dinheiro, à saúde, à felicidade e aos limites da alegria nos seus relacionamentos. Quando você se apaixona pela vida, você não resiste, e tudo o que ama aparece nela quase instantaneamente. Sua presença é sentida quando você entra numa sala. Chovem oportunidades na sua vida, e ao seu menor toque toda negatividade se dissolve. Você vai se sentir melhor do que jamais imaginou que pudesse se sentir. Você se sentirá cheio de energia, de entusiasmo e de um prazer inesgotável pela vida. Você se sentirá leve como uma pluma, como se flutuasse no ar, e tudo o que você ama vai cair aos seus pés. Apaixone-se pela vida, solte o poder que há em você, e vai se tornar ilimitado e invencível.

"Mesmo depois de todos esses anos, o Sol nunca disse para a Terra: 'Você me pertence.' Veja o que acontece com um amor como esse. Ele ilumina todo o céu."

Hafez (1315-1390),
POETA SUFI

Então, como você se apaixona pela vida? Da mesma maneira como você se apaixona por outra pessoa: você adora tudo nela. Você se apaixona por outra pessoa vendo apenas amor, ouvindo apenas amor, falando apenas amor, sentindo amor com todo o seu coração. Essa é a maneira de usar o poder supremo do amor para apaixonar-se pela vida.

Não importa o que você esteja fazendo nem onde esteja, procure pelas coisas que ama. Você pode procurar por tecnologia e novidades que você ama, pode procurar por edifícios que ama, carros e estradas que ama, cafés e restaurantes que ama, lojas que ama. Ande pelas ruas ou entre numa loja com a intenção de encontrar o maior número de coisas que ama. Procure por coisas que ama nas outras pessoas. Procure por tudo que ama na natureza: pássaros, árvores, flores, cheiros e cores. Veja o que você ama. Ouça o que você ama. Fale sobre o que você ama.

"Sabendo que você pode trabalhar com uma força que nunca falhou em nada do realizou, você segue em frente confiante, sabendo que ela também não falhará no seu caso."

Robert Collier (1885-1950),
AUTOR DO MOVIMENTO NOVO PENSAMENTO

Pense no que você ama. Fale sobre o que você ama. Faça o que você ama. Porque quando você faz todas essas coisas, você está *sentindo* amor.

Fale sobre coisas que você ama na sua casa, na sua família, no seu marido ou mulher, nos seus filhos. Fale sobre as coisas que ama nos seus amigos. Diga a eles o que você ama neles. Fale sobre coisas que ama em que você toca, de que sente o cheiro e que prova.

Mostre para a Lei da Atração as coisas que você ama todos os dias, escolhendo-as e sentindo-as. Pense um momento em quanto amor você pode irradiar num só dia sentindo as coisas que ama. Diga "Eu amo essa roupa", "Eu amo esses sapatos", "Eu amo a cor dos olhos dessa pessoa", "Eu amo o cabelo dessa pessoa", "Eu amo o sorriso dessa pessoa", "Eu amo esse creme", "Eu amo esse cheiro", "Eu amo essa loja", "Eu amo essa mesa, esse abajur, esse sofá, tapete, aparelho de som, casaco, luvas, gravata, joia", "Eu amo o cheiro do verão", "Eu amo as árvores do outono", "Eu amor as flores da primavera", "Eu amo essa cor", "Eu amo essa rua", "Eu amo essa cidade".

Procure pelas coisas que você ama em cada situação, acontecimento e circunstância, e sinta-as. "Eu amo receber ligações como essa." "Eu amo receber e-mails como esse." "Eu amo receber boas notícias como essas." "Eu amo essa música." "Eu amo ver as pessoas felizes." "Eu amo rir junto com os outros." "Eu amo ir para o trabalho ouvindo música." "Eu amo poder relaxar no trem ou no ônibus." "Eu amo os festivais que acontecem na cidade." "Eu amo festas como essa." "Eu amo a vida." Procure por coisas que você ama em cada assunto que ilumina seu coração, e sinta-as o mais profundamente que você puder.

Se você não está se sentindo bem e quer mudar a maneira como se sente, ou se você quer se sentir ainda melhor, pare um minuto e faça mentalmente uma lista de tudo que você ama e adora. Você pode fazer isso enquanto se arruma de manhã, ou anda, ou dirige, ou vai de um lugar para o outro. É algo muito simples de fazer, mas fará um efeito incrível na sua vida.

Faça uma lista por escrito de tudo que você ama, e sugiro que, no começo, você faça isso todos os meses, e depois pelo menos a cada trimestre. Inclua os lugares que você ama, cidades, países, pessoas, empresas, serviços, esportes, atletas, música, animais, flores, plantas, árvores. Liste todas as coisas materiais que você ama, desde os diferentes tipos de roupa, casas, móveis, livros, revistas, jornais e carros que você ama até os diferentes tipos de comida que você ama. Pense nas coisas que você ama fazer e liste-as, coisas como dançar, praticar um esporte, ir a museus, concertos, festas, fazer compras. Faça uma lista dos filmes que você ama, das férias e dos restaurantes que ama.

> *"Quando alguém entra totalmente no reino do amor, o mundo — não importa quão imperfeito — se torna rico e lindo, e consiste somente de oportunidades para amar."*
>
> Soren Aabye Kierkegaard (1813-1855),
> FILÓSOFO

Sua tarefa é amar ao máximo todos os dias. Se você puder amar e adorar todas as coisas que puder hoje, se procurar pelas coisas que ama e puder senti-las, se puder se afastar das coisas que você não ama, o seu futuro será repleto de uma felicidade sem precedentes, repleto de tudo que você quer e ama.

> *"O amor é a chave mestra que abre os portões da felicidade."*
>
> Oliver Wendell Holmes (1809-1894),
> DECANO DA FACULDADE DE MEDICINA DE HARVARD

Amar é estar atento

Você tem que estar atento para sentir o amor de tudo que está à sua volta. Você tem que ter consciência de tudo que está à sua volta para amar, do contrário vai perder algumas coisas. Você tem que estar atento para ver as coisas que ama. Você tem que estar atento para ouvir os sons que ama. Você tem que estar atento para sentir o maravilhoso perfume das flores ao passar por elas. Tem que estar atento para realmente sentir o gosto da comida que está comendo e toda a sua variedade de sabores. Se você anda pela rua ouvindo seus pensamentos, você perde todas essas coisas. E isso acontece com as pessoas o tempo todo. Elas se hipnotizam a si mesmas, ouvindo os pensamentos em suas cabeças, entrando numa espécie de transe, e não têm consciência de nada ao seu redor.

Alguma vez já aconteceu de você estar andando na rua e de repente um amigo gritar seu nome, e você se assustar porque não o tinha visto? Ou ao contrário, você viu uma amiga na rua e teve que chamar seu nome várias vezes, até ela se dar conta da sua presença e pular de alegria ao ver você? Era como se ela despertasse de um transe: ela não tinha consciência de estar na rua, estava perdida, ouvindo seus próprios pensamentos. Alguma vez já aconteceu de você estar viajando de carro e de repente olhar em volta e perceber que estava quase chegando, mas não se lembrar de como chegou até ali? Você fica como hipnotizado, numa espécie de transe, ouvindo seus pensamentos.

A boa notícia é que, quanto mais você irradia amor, mais atento e consciente você fica! O amor traz a atenção completa. À medida que você se esforça para perceber ao máximo as coisas que ama que estão à sua volta, você se torna mais atento e consciente.

Como manter o foco da sua mente no amor

> *"Clareza de pensamento significa clareza de sentimento também. É por isso que uma mente clara e grandiosa ama ardentemente e sabe distinguir aquilo que ama."*
>
> Blaise Pascal (1623-1662),
>
> FILÓSOFO E MATEMÁTICO FRANCÊS

Uma maneira de ficar atento é enganar sua mente fazendo perguntas como, por exemplo, "Que coisas que amo posso ver nesse momento?", "Quantas coisas que amo posso ver agora?", "O que mais há aqui que amo?", "Que coisas posso ver que me deixem empolgado?", "O que posso ver que me deixa entusiasmado?", "O que posso ver agora que me deixa apaixonado?", "Existem mais coisas que posso ver agora que amo?", "O que posso ouvir nesse momento que amo?". Quando você faz essas perguntas, sua mente não consegue escapar, e naquele exato momento fica ocupada, tentando lhe dar as respostas. As perguntas fazem os outros pensamentos cessarem imediatamente, sua mente se ocupa em lhe dar respostas às perguntas que você fez.

O segredo é fazer essas perguntas com regularidade. Quanto mais perguntas você fizer, mais vai controlar sua mente. Sua mente vai trabalhar junto com você e fazer o que você quer que ela faça, em vez de trabalhar contra você.

Algumas vezes, sua mente pode se perder, como se fosse um trem desgovernado, se você não estiver no controle. Você é o condutor da sua mente, então tome conta dela e a mantenha ocupada com as suas instruções, dizendo aonde quer que ela vá. Sua mente só se perde se você não lhe diz o que fazer.

> *"A mente é um inimigo para aqueles que não a controlam."*
>
> Bhagavad Gita (SÉCULO V A.C.),
> ANTIGO TEXTO HINDU

Sua mente é um instrumento magnífico e poderoso que pode ser usada a seu favor, mas você tem que estar no controle. Em vez de deixar que ela o distraia com seus pensamentos descontrolados, você quer que sua mente o ajude a irradiar amor. A boa notícia é que ela pode ser treinada para focar no amor em muito pouco tempo, e, uma vez que você consiga treiná-la, apenas observe o que vai acontecer na sua vida.

A chave da gratidão

"Você não pode exercer o poder sem gratidão, porque é a gratidão que o mantém conectado ao poder."

Wallace Wattles (1860-1911),
AUTOR NORTE-AMERICANO QUE FEZ PARTE DO MOVIMENTO NOVO PENSAMENTO

Conheço milhares de pessoas que estavam em situações dificílimas e que mudaram suas vidas completamente através da gratidão. Conheço histórias de milagres que aconteceram quando parecia não haver mais esperança de melhora: rins que voltaram a funcionar, corações que se recuperaram de infartos agudos, olhos que recuperaram a visão, tumores que desapareceram misteriosamente, ossos que se regeneraram. Conheço relacionamentos fracassados que acabaram se tornando maravilhosos através da gratidão: casamentos em crise que foram reconstruídos, parentes que se reencontraram depois de anos sem se falar, pais que mudaram a maneira de lidar com seus filhos, professores que começaram a compreender seus alunos. Já vi pessoas que estavam num estado de pobreza total e se tornaram milionárias através da gratidão: pessoas que deram a volta por cima em negócios falidos e pessoas que sempre tiveram dificuldade com o dinheiro criarem abundância. Uma delas inclusive deixou de viver nas ruas e conseguiu trabalho e casa em apenas uma semana. Conheço pessoas que estavam deprimidas e se tornaram muito felizes e realizadas através da gratidão. Pessoas que sofriam de ansiedade e outros distúrbios mentais e que se recuperaram totalmente através da gratidão.

Todos os sábios do mundo sempre se valeram da gratidão, que é a mais alta expressão do amor. Eles sempre souberam que, quando se sentem gratos, estão vivendo de acordo com a lei. Por que você acha que Jesus sempre dava graças antes de fazer milagres?

Toda vez que você se sente grato por alguma coisa, está irradiando amor, e não importa o que você irradie, você vai receber isso de volta. Toda vez que você diz obrigado a alguém e se sente grato pelo carro que tem, pelas suas férias, um pôr do sol, um presente, uma casa nova, um acontecimento interessante, você está irradiando amor por essas coisas e vai receber em troca mais alegria, mais saúde, mais dinheiro e mais experiências maravilhosas, mais relacionamentos incríveis e mais oportunidades.

Tente fazer isso agora. Pense em alguma coisa e em alguém por que você se sinta grato. Você pode escolher a pessoa que você mais ama no mundo. Foque nessa pessoa e pense em todas as coisas que você ama nela e pelas quais se sente grato em relação a ela. Então, silenciosamente ou em voz alta, diga a essa pessoa todas as coisas que você ama nela e pelas quais você é grato como se ela estivesse ao seu lado. Fale de todos os motivos por que você a ama. Você pode evocar momentos específicos dizendo: "Se lembra quando..." Enquanto faz isso, sinta que seu coração e seu corpo se enchem de gratidão.

O amor que você irradia nesse exercício simples deve e vai voltar para você no seu relacionamento e na sua vida inteira. Irradiar amor através da gratidão é simples assim.

Albert Einstein foi um dos maiores cientistas da humanidade. Suas descobertas mudaram completamente a maneira como vemos o Universo. Quando lhe perguntaram sobre seus feitos impressionantes, Einstein se limitou a agradecer a todos que o ajudaram. Uma das mentes mais brilhantes que já existiram agradeceu aos outros pelo que eles lhe deram – centenas de vezes por dia! Isso significa que, pelo menos centenas de vezes ao dia, Einstein irradiava amor. Não é de se espantar que a vida tenha revelado a Albert Einstein inúmeros dos seus mistérios.

"Centenas de vezes por dia me lembro que minha vida, interna e externa, depende do trabalho de outros homens, vivos e mortos, e isso me exorta a dar na mesma medida do que recebi e ainda recebo."

 (1879-1955),

FÍSICO GANHADOR DO PRÊMIO NOBEL

Gratidão, a grande multiplicadora

Quando você se sente grato pelas coisas que tem, não importa quão pequenas possam ser, vai receber mais dessas coisas. Se você se sente grato pelo dinheiro que tem, mesmo que pouco, você vai receber mais dinheiro. Se você se sente grato por um relacionamento, mesmo que ele não seja perfeito, ele vai melhorar. Se você se sente grato pelo trabalho que tem, mesmo que ele não seja o trabalho dos seus sonhos, você vai receber melhores oportunidades de trabalho. Porque a gratidão é a grande multiplicadora da vida.

"Se a única prece que você disse durante toda a sua vida foi 'Obrigado', isso já é suficiente."

 (1260-1328),

FILÓSOFO, TEÓLOGO E MÍSTICO ALEMÃO

A gratidão começa com uma simples palavra: obrigado! Mas você tem que se sentir grato com todo o seu coração.

Quanto mais você começa a dizer *obrigado*, mais se sente grato e irradia mais amor. Existem três maneiras de usar o poder da gratidão na sua vida, e cada uma delas faz você irradiar amor.

1. *Sinta-se grato por tudo que você já recebeu na sua vida (passado)*

2. *Sinta-se grato por tudo que você está recebendo nesse momento (presente)*

3. *Sinta-se grato por tudo que você quer na sua vida, mesmo que você já tenha recebido (futuro)*

Se você não se sente grato pelo que recebeu e pelo que está recebendo, você não está irradiando amor e não tem o poder de mudar suas circunstâncias atuais. Quando você diz obrigado pelo que recebeu e continua a receber, está *multiplicando* todas essas coisas. A gratidão traz o que você deseja. Sinta-se grato pelo que você deseja na vida, como se você já tivesse recebido, e a Lei da Atração diz que você *vai* receber o que deseja.

Você poderia imaginar que algo tão simples como sentir-se grato pudesse multiplicar tudo que você ama e mudar completamente sua vida?

Um homem divorciado, solitário e em depressão, com um trabalho que ele detestava, decidiu praticar o amor e a gratidão todos os dias para mudar sua vida. Começou sendo positivo quando falava com as outras pessoas durante o dia.

Quando telefonava para velhos amigos e pessoas da família, ele surpreendia a todos com a positividade e felicidade que irradiava. Ele começou a se sentir grato por tudo que tinha, inclusive pela água corrente que saía das torneiras de sua casa. E em quatro meses, eis o que aconteceu na vida desse homem: tudo o que ele detestava no trabalho mudou milagrosamente, e ele agora ama o que faz. Agora o trabalho o leva a lugares que sempre quis conhecer. Agora ele se relaciona muito bem com a sua família, coisa de que jamais foi capaz. Pagou todas as prestações do carro que comprou e tem sempre o dinheiro de que precisa. Todos os seus dias são bons, não importa o que esteja acontecendo. Casou-se de novo — com a sua primeira namorada.

> *"Gratidão pela abundância que você recebeu é a melhor garantia de que a abundância continuará."*
>
> *Maomé* (570-632),
>
> FUNDADOR DO ISLAMISMO

Se você usa um pouco de gratidão, sua vida vai mudar um pouco. Se você usa muita gratidão todos os dias, sua vida vai mudar de um jeito que você agora não consegue nem imaginar. A gratidão não apenas multiplica tudo na sua vida: ela também elimina as coisas negativas. Não importa em que situação você se encontre, sempre pode achar algo pelo qual se sentir grato, e quando faz isso, você controla a força do amor que elimina a negatividade.

A gratidão é a ponte do amor

"Se formos suficientemente serenos e dispostos, encontraremos compensação em cada desapontamento."

Henry David Thoreau (1817-1862),
AUTOR TRANSCENDENTALISTA

A gratidão levou minha mãe do luto mais profundo para a felicidade absoluta. Meu pai e minha mãe se apaixonaram um pelo outro à primeira vista e viveram um amor lindo e um casamento maravilhoso, que jamais vi igual. Quando meu pai morreu, minha mãe sofreu muito, porque sentia falta dele o tempo todo. Mas, em meio ao luto e à dor, minha mãe começou a olhar para as coisas pelas quais ela se sentia grata. Em vez de olhar para tudo o que ela recebeu em décadas de amor e felicidade ao lado do meu pai, ela começou a olhar para as coisas pelas quais ela se sentia grata em relação ao futuro. A primeira coisa pela qual se sentia grata era que agora podia viajar. Viajar era algo que minha mãe sempre quis fazer, mas não pôde porque meu pai não gostava. Minha mãe realizou o seu sonho, viajou e fez várias outras coisas que sempre quis fazer. A gratidão foi a ponte que tirou minha mãe do luto profundo e a fez construir uma vida nova de felicidade.

É impossível sentir-se triste ou ter sentimentos negativos quando você se sente grato. Se você está bem no meio de uma situação difícil, procure algo pelo qual você se sente grato. Quando você encontrar, procure por outra coisa e depois outra, e outra, porque cada coisa pela qual você se sente grato ajuda a transformar toda a situação. A gratidão é a ponte entre os sentimentos negativos e o controle da força do amor.

> *"A gratidão é uma vacina, um antídoto, um antisséptico."*
>
> John Henry Jowett (1864-1923),
>
> PREGADOR PRESBITERIANO

Quando, durante o dia, alguma coisa boa lhe acontece, *agradeça*. Não importa quão pequena ela seja, agradeça.

Quando você encontra uma vaga ótima, ou escuta uma de suas músicas favoritas no rádio do carro, ou vai se aproximando de um sinal fechado que de repente fica verde, ou quando você encontra um lugar vazio no ônibus ou no trem, *agradeça*. Tudo isso são coisas boas que você está recebendo da vida.

Agradeça pelos seus sentidos, pelos seus olhos que são capazes de ver, pelos seus ouvidos que são capazes de ouvir, por sua boca que sente o gosto das coisas, por seu nariz que sente o cheiro do mundo, por sua pele que permite que você sinta. Agradeça pelas suas pernas, que fazem você andar, pelas suas mãos, que você usa para praticamente todas as coisas, por sua voz, que faz você se expressar e se comunicar com os outros. Agradeça pelo seu sistema imunológico incrível, que impede que você adoeça ou o ajuda a ficar bom de novo, e por todos os seus órgãos que mantêm seu corpo saudável e funcionando. Agradeça pela grandiosidade de sua mente humana, que nenhum computador no mundo é capaz de simular. Seu corpo inteiro é o maior laboratório da Terra, e não há nada que chegue perto de reproduzir sua perfeição. Você é um milagre.

Agradeça pela sua casa, sua família, seus amigos, seu trabalho, seus animais de estimação. Agradeça pelo sol, pela água que você bebe, pela comida que come, pelo ar que respira. Sem eles você não estaria vivo.

Agradeça pelas árvores, pelos animais, pelos oceanos, pelos pássaros, pelas flores, pelas plantas, pelo céu azul, pela chuva, pelas estrelas, pela lua e por todo o nosso lindo planeta.

Agradeça pelo transporte que você usa todos os dias. Agradeça pelas empresas cujos serviços tornam sua vida mais confortável. Pelos homens e mulheres que dão o maior duro para que água saia das torneiras em sua casa, para que a luz se acenda na sua sala quando você liga o interruptor. Pense em quantos homens e mulheres fazem diariamente a manutenção de ruas e estradas permitindo o nosso ir e vir, e em quantos garantem todos os dias a circulação de trens e metrôs em todos os países e de aviões ao redor do planeta.

"Na vida diária nós não percebemos que recebemos muito mais do que damos. É apenas com gratidão que a vida se torna mais rica.

Dietrich Bonhoeffer (1906-1945),
PASTOR LUTERANO

Para usar o poder da gratidão, pratique-o. Quanto mais você *se sente* grato, mais amor *irradia*, e quanto mais amor você irradia, mais você *recebe*.

Você se sente grato pela sua saúde mesmo quando não há nada errado com você? Ou só nota o quanto era saudável quando fica doente ou se machuca?

Você agradece pela boa noite de sono que teve? Ou nem liga para elas e só nota o quanto é importante dormir bem quando sofre de insônia?

Você agradece por aqueles a quem você ama quando está tudo bem, ou só fala de seus relacionamentos quando há problemas?

Você agradece pela eletricidade quando usa uma tomada ou liga um interruptor? Ou só pensa na eletriciade quando acontece um apagão?

Você agradece por estar vivo todos os dias?

A cada segundo temos a oportunidade para agradecer e multiplicar as coisas que amamos. Acredito que sou uma pessoa grata por tudo que tenho, mas não sabia o que a gratidão realmente era até praticá-la.

Se estou caminhando ou dirigindo, uso esse tempo para agradecer por tudo que tenho na vida. Até mesmo quando ando da cozinha para o quarto em minha casa, aproveito para agradecer. Com todo meu coração, digo: "Eu agradeço pela minha vida. Agradeço pela harmonia, agradeço pela alegria, agradeço pela saúde, agradeço pelo divertimento e pelo entusiasmo. Agradeço pelo milagre da vida. Agradeço por tudo de bom e maravilhoso na minha vida."

Agradeça! Seja grato! A gratidão não custa nada, mas vale mais do que todas as riquezas no mundo. A gratidão lhe traz todas as riquezas da vida, porque tudo pelo que você agradece se multiplica.

A chave da brincadeira

Há um jeito fácil de você se sentir bem em relação a qualquer coisa que aconteça na sua vida: crie jogos de faz de conta com a sua imaginação e brinque. Brincar é divertido, e quando você brinca você se sente bem.

A partir de uma certa idade paramos de brincar e nos divertir como fazíamos quando éramos crianças. Nós nos tornamos adultos e consequentemente nos tornamos também mais sérios em relação à vida. Mas seriedade traz circunstâncias que exigem seriedade. Quando você brinca e se diverte, se sente bem e – *voilà* – atrai mais circunstâncias para sua vida que fazem você se sentir bem.

A vida deve ser divertida. Brinque com a Lei da Atração, invente jogos de faz de conta, porque para a Lei da Atração não importa se você está brincando, ou imaginando, ou se tudo é de verdade. Tudo aquilo que você irradia pela sua imaginação e pelos seus sentimentos se tornará real.

Como brincar

"A Lei do Amor pode ser facilmente entendida e aprendida pelas crianças pequenas."

Mahatma Gandhi (1869-1948),
LÍDER POLÍTICO INDIANO

Como você deve brincar? Da mesma maneira que você brincava quando era criança, usando sua imaginação num jogo de faz de conta.

Vamos imaginar que você é um ciclista e quer se tornar o melhor ciclista do mundo e vencer a Volta da França. Você está treinando muito e não perde o seu sonho de vista, mas um dia é diagnosticado com uma doença rara e tem apenas 40% de chances de sobreviver. Durante o tratamento, você imagina que está treinando para a Volta da França e que essa é a corrida da sua vida. Você imagina que os médicos são seus treinadores e que eles lhe dão orientações precisas. A cada dia você imagina que está fazendo tomadas de tempo, e que está cada vez melhor e mais rápido. Você vence a corrida com os seus médicos e supera a doença.

Um ano depois de se recuperar totalmente, você vence a Volta da França e continua a vencer a corrida por sete anos seguidos, se tornando o único ciclista que conseguiu realizar esse feito. Essa é a história de Lance Armstrong. Ele usou o momento mais difícil de toda a sua vida como suporte para criar um jogo de faz de conta e realizar seus sonhos.

Vamos dizer que você quer ser um fisiculturista com um dos melhores corpos do mundo e também se tornar um ator famoso. Você vive numa pequena cidade na Europa e vem de uma família que vivia em dificuldades financeiras, mas você ainda consegue imaginar seus sonhos. Você usa uma foto de um dos seus ídolos para esculpir seu corpo e se imagina vencendo o título europeu de fisiculturismo. Você vence essc título sete vezes e em seguida quer se tornar ator. Você viaja para os Estados Unidos, mas ninguém acredita que você é um ator de verdade, e lhe dão uma série de motivos para você acreditar que não vai conseguir realizar seus sonhos. Mas você continua se imaginando um ator de sucesso, pode sentir o sucesso, pode sentir o gosto que ele tem, e você sabe que isso vai acontecer. Isso foi o que Arnold Schwarzenegger fez quando ganhou o título de Mr. Olympia sete vezes e depois se tornou um dos atores mais famosos e bem-pagos de Hollywood.

Imagine que você quer ser um inventor. Quando você era criança, sua mente passou por duras provas, você era perseguido por alucinações e luzes.Você não terminou a faculdade e perdeu o emprego porque teve um colapso nervoso. Para ter algum alívio nas suas alucinações você descobriu uma maneira de controlar sua mente, criando o seu próprio mundo imaginário. Inspirado pela ideia de um futuro melhor, você direcionou sua imaginação para novas invenções. Você inventava coisas na sua imaginação. Você construía os aparelhos, aprimorava-os, operava-os, sem fazer um desenho sequer. Você criou um laboratório na sua mente e usava sua imaginação para checar todos os detalhes de suas novas invenções antes de transformar sua ideia num aparelho de verdade. Isso foi o que Nikola Tesla fez para se tornar um dos maiores inventores do mundo. Motor de corrente alternada, rádio, amplificador, comunicação sem fio, luz fluorescente, raio laser, controle remoto são algumas de suas mais de trezentas invenções patenteadas, todas desenvolvidas exatamente dessa maneira, através do poder da imaginação.

> *"A lógica vai levar você de A para B. A imaginação vai levar você a qualquer lugar."*
>
> Albert Einstein (1879-1955),
>
> FÍSICO GANHADOR DO PRÊMIO NOBEL

Não importa o que você queira, use sua imaginação, crie jogos de faz de conta e brinque. Use todo o suporte que encontrar para conseguir isso. Se você quer perder peso e ter um corpo melhor, crie um jogo de faz de conta de maneira que você se sinta com esse corpo hoje. Você pode espalhar imagens de corpos maravilhosos pela sua casa, mas o truque é: você tem que imaginar que aqueles são o *seu* corpo. Você tem que imaginar e sentir que tem *aquele* corpo.

Se você está acima ou abaixo do peso, como você se sentiria se tivesse o peso ideal hoje? Você se sentiria diferente de como se sente agora. Tudo mudaria em relação a você. Você andaria diferente, falaria diferente e faria coisas de um jeito diferente. Ande dessa maneira hoje! Fale dessa maneira hoje! Aja como se já tivesse alcançado isso hoje! Não importa o que você quer, imagine como você vai se sentir com o que deseja, e aja dessa maneira na sua imaginação. Tudo o que você imaginar com sentimento, você está irradiando para a Lei da Atração e vai receber de volta.

Lance Armstrong, Arnold Schwarzenegger, Nikola Tesla: todas essas pessoas imaginaram e sentiram seus sonhos com todo o seu coração. Sua imaginação se tornou real, e eles puderam sentir seus sonhos e sabiam que aquilo ia acontecer. Não importa quão distante do seu sonho você esteja. Ele está mais próximo de você do que qualquer outra coisa, porque o poder para trazê-lo para a sua vida está dentro de você.

> *"Tudo é possível para aquele que acredita."*
>
> Jesus Cristo (c. 5 a.C.-c. 30 d.C.),
>
> fundador do cristianismo, em Marcos, 9:23

No futuro ainda vamos descobrir muito sobre o poder da nossa imaginação. Os cientistas já sabem que existem células no nosso cérebro que reagem a determinadas ações quer você as esteja imaginando ou realmente fazendo. Em outras palavras, basta apenas imaginar o que você quer viver, e seu cérebro vai responder como se isso fosse real.

Se você está falando sobre algo que aconteceu no passado ou que pode acontecer no futuro, você está imaginando essas coisas hoje, está sentindo essas coisas hoje, está na mesma frequência vibracional dessas coisas hoje, e isso é o que a Lei da Atração está recebendo. Quando você imagina o que você deseja, a Lei da Atração está recebendo o que você deseja hoje. Lembre-se: não há tempo para a Lei da Atração. Só o momento presente importa.

Se existe um intervalo de tempo entre você desejar e receber o que deseja, isso acontece apenas porque leva um tempo para você entrar na frequência vibracional do que deseja. Para entrar nessa frequência vibracional, você tem que irradiar amor pelo que deseja hoje! Quando você alcançar essa vibração de sentimentos, permaneça nela e o que você deseja vai aparecer na sua vida.

> *"Tudo o que você pode querer e desejar já é seu. Chame os seus desejos para a realidade, imaginando e sentindo que eles se realizam."*
>
> Neville Goddard (1905-1972),
>
> PROFESSOR E ESTUDIOSO DO MOVIMENTO NOVO PENSAMENTO

Quando você se sentir realmente entusiasmado e feliz com algo que aconteceu, capture essa energia e imagine o que você deseja. Bastam apenas imagens rápidas na mente e sentimentos positivos para que você possa controlar o poder dos seus sentimentos e alcançar o que deseja. Isso é brincar de faz de conta. Isso é divertido. Isso é a alegria de criar a sua vida.

PRINCÍPIOS DO PODER

A chave do amor

- *Para usar o amor como poder supremo na sua vida, você tem que amar como nunca amou antes. Apaixone-se pela vida.*
- *Veja apenas amor, ouça apenas amor, fale apenas amor e sinta o amor com todo o seu coração.*
- *Não há nenhum limite para a quantidade de amor que você pode sentir, ele está dentro de você. Você é feito de amor.*
- *Mostre para a Lei da Atração as coisas que você ama todos os dias, escolhendo-as e sentindo-as.*
- *Para mudar a maneira como você se sente e aumentar a vibração dos bons sentimentos, faça mentalmente uma lista das coisas que você ama.*
- *Sua tarefa é amar ao máximo todos os dias.*
- *Faça um esforço consciente para perceber todas as coisas que você ama que estão à sua volta.*

A chave da gratidão

- *Toda vez que você se sente grato está irradiando amor.*
- *Sinta-se grato por tudo que você já recebeu na sua vida (passado).*
- *Sinta-se grato por tudo que você está recebendo nesse momento (presente).*
- *Sinta-se grato por tudo que você quer na sua vida, mesmo que você já tenha recebido (futuro).*
- *A gratidão vai multiplicar todas as coisas boas na sua vida.*
- *A gratidão é a ponte entre os sentimentos negativos e o controle da força do amor.*
- *Para usar o poder da gratidão, pratique-o. Quando, durante o dia, alguma coisa boa lhe acontecer, agradeça. Não importa quão pequena ela seja, agradeça.*
- *Quanto mais você se sente grato, mais amor irradia, e quanto mais amor você irradia, mais você recebe.*
- *A cada segundo temos a oportunidade para agradecer e multiplicar as coisas que amamos.*

A chave da brincadeira

- *Quando você brinca e se diverte, se sente bem e atrai mais circunstâncias para sua vida que fazem você se sentir bem. Seriedade traz circunstâncias que exigem seriedade.*

- *A vida deve ser divertida!*

- *A Lei da Atração não sabe se você está imaginando e brincando, portanto tudo o que você irradiar pela imaginação e brincadeira vai se tornar real.*

- *Não importa o que você queira, use sua imaginação, crie jogos de faz de conta e brinque. Use todo o suporte que encontrar para conseguir fazer isso.*

- *Aja como se já tivesse alcançado isso hoje! Tudo o que você imaginar com sentimento você está irradiando para a Lei da Atração e vai receber de volta.*

- *Se existe um intervalo de tempo entre você desejar e receber o que deseja, isso acontece apenas porque leva um tempo para você entrar na frequência vibracional do que deseja.*

- *Quando você se sentir realmente entusiasmado e feliz com algo que aconteceu, capture essa energia e imagine o que você deseja.*

O PODER E O DINHEIRO

"A pobreza consiste em nos sentirmos pobres."

Ralph Waldo Emerson (1803-1882),
PENSADOR TRANSCENDENTALISTA

Como você se sente com relação ao dinheiro? A maioria das pessoas diria que adora o dinheiro, mas que se não tem o bastante não se sente absolutamente confortável. Se alguém tem todo o dinheiro de que precisa, é bem provável que se sinta muito bem a esse respeito. Portanto, você pode dizer como se sente com relação ao dinheiro porque, se não tem o que julga necessário, não se sente confortável a esse respeito.

Se olhar o mundo ao seu redor, verá que a maioria das pessoas não lida bem com dinheiro, porque a maior parte das riquezas do mundo está nas mãos de cerca de 10% da população mundial. A única diferença entre os ricos e todos os demais é que os ricos têm mais sentimentos positivos do que negativos com relação ao dinheiro. É simples assim.

Por que tanta gente lida mal com dinheiro? Não é por nunca terem tido dinheiro, já que a maior parte das pessoas que têm dinheiro começou do nada. Se tanta gente lida mal com dinheiro é porque possui crenças negativas a esse respeito, e essas crenças foram nutridas em seu subconsciente ainda na infância. Crenças como "não podemos nos dar a esse luxo", "o dinheiro é ruim", "os ricos devem ser desonestos", "querer dinheiro é errado; não se trata de uma atitude espiritual", "ter muito dinheiro significa trabalhar duro".

Na infância, você aceita praticamente tudo que seus pais, seus professores ou a sociedade lhe dizem. E, portanto, sem se dar conta, cresce com sentimentos negativos acerca do dinheiro. A ironia dessa situação é que, ao mesmo tempo que lhe dizem que é errado querer dinheiro, dizem também que você precisa ganhar a vida, mesmo que para isso tenha de fazer um trabalho de que não gosta. Talvez até lhe digam que há apenas alguns trabalhos que você pode fazer para ganhar a vida, que é uma lista limitada.

Nada disso é verdade. As pessoas que lhe disseram tais coisas são inocentes porque estavam transmitindo algo em que acreditavam e que consideravam verdadeiro, mas, porque acreditavam nisso, a Lei da Atração tornou essa crença uma verdade em suas vidas. Agora você está aprendendo que a vida funciona de um jeito inteiramente diferente. Se lhe falta dinheiro é porque você está tendo mais sentimentos negativos do que positivos com relação ao dinheiro.

> *"Quando você percebe que nada lhe falta, o mundo inteiro lhe pertence."*
>
> *Lao-Tsé* (C. SÉC. VI A.C.),
>
> FUNDADOR DO TAOISMO

O amor é um poder de atração e de fixação

Venho de uma família humilde e, embora meus pais não desejassem ter muito dinheiro, lutavam para equilibrar o orçamento familiar. Cresci, portanto, com as mesmas crenças negativas que a maioria das pessoas tem com relação a dinheiro. Sabia que precisava mudar os meus sentimentos a esse respeito para mudar a minha situação. E sabia que precisava me modificar completamente para que o dinheiro não apenas viesse até mim, mas permanecesse comigo!

Percebia que as pessoas que tinham dinheiro não apenas atraíam mais dinheiro, mas também conseguiam mantê-lo. Se você pegasse todo o dinheiro do mundo e o distribuísse igualmente para cada pessoa, em pouco tempo todo esse dinheiro estaria de volta às mãos de um pequeno grupo, porque a Lei da Atração é movida pelo amor e, com isso, o pequeno grupo que lida bem com dinheiro o atrairia de volta como um ímã. A força do amor move todo o dinheiro e todas as riquezas do mundo e o faz de acordo com uma lei.

"Este é um princípio eterno e fundamental, inerente a tudo, a todo sistema filosófico, a toda religião e a toda ciência. Não há como escapar à Lei do Amor."

Charles Haanel (1866-1949),

EMPRESÁRIO E AUTOR DO MOVIMENTO NOVO PENSAMENTO

Você pode ver a Lei da Atração funcionando quando alguém ganha na loteria. Essa pessoa imaginou que ganharia e sentiu isso do fundo do seu coração. Falava de quando ganhasse na loteria e não se ganhasse na loteria; planejava e imaginava o que faria quando ganhasse. E ganhou! Mas as estatísticas relativas a esses ganhadores deixam bem clara a questão de o dinheiro se manter ou não. Em poucos anos a maioria das pessoas perde o dinheiro que ganha e está mais endividada que antes.

Isso acontece porque elas usaram a Lei da Atração para ganhar na loteria, mas mesmo depois de receber o dinheiro não mudaram a sua forma de lidar com ele e acabaram perdendo tudo. O dinheiro não permaneceu em suas mãos.

Se você não lida bem com o dinheiro, você o repele. Ele nunca permanece com você. Mesmo quando ganha algum dinheiro que não esperava ganhar, não tarda a descobrir que ele escapa pelos seus dedos. Chegam contas mais altas, coisas se quebram e surgem imprevistos de todo tipo: tudo isso leva o dinheiro embora, tirando-o de suas mãos.

O que é, então, que faz o dinheiro permanecer? O amor! O amor é a força de atração que traz dinheiro e também é o poder que o faz permanecer em nossas mãos! Isso nada tem a ver com o fato de você ser ou não uma boa pessoa. Este seu aspecto está além de toda e qualquer dúvida, porque você é infinitamente melhor do que imagina.

Você precisa dar amor e lidar bem com o dinheiro para trazê-lo até você e conseguir mantê-lo! Se neste exato momento está sem dinheiro e a dívida do seu cartão de crédito está aumentando, é porque você não está usando esse poder de fixação e está repelindo o dinheiro.

Pouco importa qual seja a sua situação financeira atual. Pouco importa qual seja a situação financeira do seu negócio, do seu país ou do mundo. Essa história de situação desesperadora não existe. Houve quem prosperasse durante a Grande Depressão (que assolou os Estados Unidos no início dos anos 1930); tais pessoas conheciam a Lei do Amor e da Atração. Viveram segundo essa lei, imaginando e sentindo tudo o que queriam, e desafiaram assim as circunstâncias que os cercavam.

"Sejamos bons e os tempos serão bons. Os tempos somos nós: tal como formos, assim serão os tempos."

Santo Agostinho (354-430),
TEÓLOGO E BISPO

A força do amor pode remover qualquer obstáculo e transformar qualquer situação. Os problemas mundiais não são obstáculo para a força do amor. A Lei da Atração opera com a mesma potência em tempos de crise ou de prosperidade.

Como modificar a sua forma de lidar com o dinheiro

Quando você muda a sua forma de lidar com o dinheiro, a quantidade de dinheiro em sua vida também muda. Quanto melhores forem os seus sentimentos a esse respeito, mais dinheiro você atrairá para si mesmo.

Se você não tem muito dinheiro, não vai se sentir bem ao receber contas. Mas no momento em que reage negativamente a uma conta alta, você emite sentimentos negativos e é muito provável que receba contas ainda mais altas. O que quer que você dê vai receber de volta. O mais importante é que ao pagar as suas contas você consiga descobrir um jeito, seja ele qual for, de se sentir bem. Nunca pague as suas contas com sentimentos negativos, pois tudo que vai conseguir com isso é atrair contas ainda mais altas.

Para modificar os seus sentimentos, você precisa usar a imaginação e transformar as contas em algo que o faça se sentir melhor. Pode imaginar que aqueles papéis ali não são contas, que na verdade você decidiu doar dinheiro para determinadas companhias ou pessoas por pura generosidade do seu coração em razão dos magníficos serviços que elas lhe prestaram.

Imagine que aquelas contas são cheques que você está recebendo. Ou use a gratidão e agradeça à companhia que lhe enviou a tal conta, pensando nos grandes benefícios que os seus serviços lhe proporcionaram — a energia elétrica, por exemplo, ou o fato de poder morar numa casa. Pode escrever no alto de uma conta, ao pagá-la: "Obrigado. Pago." Se não tiver dinheiro para pagar a tal conta imediatamente, escreva nela: "Obrigado pelo dinheiro." A Lei da Atração não quer saber se o que você imagina e sente é real ou não, ela responde ao que você emite, e ponto final.

"Não somos recompensados por nossas obras ou por nosso tempo, mas segundo a medida do nosso amor."

Santa Catarina de Siena (1347-1380),

FILÓSOFA E DOUTORA DA IGREJA CATÓLICA

Quando receber o seu salário, seja grato por ele, pois assim ele se multiplicará! A maioria das pessoas não se sente bem nem mesmo quando recebe um pagamento, porque está preocupadíssima em saber como fazer o salário chegar ao fim do mês. Essas pessoas perdem uma incrível oportunidade de emitir sentimentos de amor quando são pagas. Quando uma quantia qualquer lhe chegar às mãos, por menor que ela seja, sinta-se grato! Lembre-se de que tudo aquilo pelo qual você é grato se multiplica. A gratidão é o maior dos multiplicadores!

Aproveite cada oportunidade de entrar no jogo

Aproveite cada momento em que esteja lidando com dinheiro para fazê-lo se multiplicar, emitindo sentimentos positivos. Sinta amor quando pagar qualquer coisa! Sinta amor quando der dinheiro a alguém! Sinta amor, do fundo do seu coração, imaginando como o seu dinheiro está ajudando a empresa e os funcionários que trabalham nela. Em vez de se sentir mal porque ficou com menos dinheiro, essas atitudes vão gerar em você sentimentos positivos com relação à quantia que está dando a alguém. A diferença entre essas duas atitudes equivale à diferença entre ter muito dinheiro e passar o resto da vida lutando para ter algum dinheiro.

Eis aqui um jogo que você pode fazer para se lembrar de ter pensamentos positivos sempre que estiver lidando com dinheiro. Imagine uma nota qualquer. Imagine a frente dessa nota como sendo o lado positivo, que representa muito dinheiro. Imagine o verso da nota como o lado negativo, que representa a falta de dinheiro. Sempre que pegar uma nota, lembre-se de virar a frente para você. Guarde as notas na carteira com a frente virada para você. Quando der dinheiro a alguém, não se esqueça de virar a frente para cima. Com isso, você estará usando o dinheiro como um lembrete para não deixar de emitir sentimentos positivos sobre prosperidade.

Se estiver usando um cartão de crédito, deixe o lado da frente à mostra, onde está o seu nome, porque esse lado está lhe dizendo que existe muito dinheiro e o seu nome está inscrito ali.

Quando pagar qualquer coisa, no momento em que entregar o cartão ou o dinheiro, mentalize abundância para a pessoa a quem você está pagando e faça isso com toda convicção. Você recebe de volta tudo o que você dá!

Imagine que você é rico neste exato momento. Imagine que tem todo dinheiro de que precisa neste exato momento. Como seria então a sua vida? Pense em todas as coisas que faria. Como se sentiria? Você se sentiria diferente e, por se sentir diferente, andaria de um jeito diferente. Falaria de um jeito diferente. Teria uma postura corporal diferente, e seus gestos seriam diferentes. Reagiria a tudo de um jeito diferente. Sua reação às contas seria diferente. Sua reação às pessoas, às circunstâncias, aos fatos e a tudo o mais na vida seria diferente. Porque você se sentiria diferente! Ficaria mais relaxado. Teria a cabeça mais tranquila. Você se sentiria feliz. Seria mais despreocupado em relação a tudo. Curtiria cada dia sem pensar no amanhã. Este é o sentimento que você deseja conquistar. Este é o sentimento de amor pelo dinheiro. E este sentimento funciona como um ímã!

"Conquiste o sentimento, associado ao seu desejo realizado, assumindo o que sentiria se já possuísse aquilo que deseja, e o seu desejo vai se materializar."

Neville Goddard (1905-1972),

PROFESSOR E ESTUDIOSO DO MOVIMENTO NOVO PENSAMENTO

Diga sim ao dinheiro

Sempre que ouvir que outra pessoa ganhou mais dinheiro ou teve mais sucesso, lembre-se de ficar empolgado, porque isso significa que você estará na mesma frequência! Isso mostra que você está numa boa frequência. Portanto, fique tão empolgado quanto ficaria se as coisas estivessem acontecendo com você, pois sua reação a essas notícias é tudo. Se reagir com alegria e entusiasmo ao que aconteceu com outra pessoa, estará dizendo sim a mais dinheiro e sucesso para si mesmo. Se reagir sentindo--se desapontado ou demonstrando inveja por isso não estar acontecendo com você, os seus sentimentos negativos estarão dizendo não a mais dinheiro e sucesso para você mesmo. Se ficar sabendo que alguém ganhou na loteria ou que uma empresa teve um lucro recorde, fique empolgado e feliz por eles. O fato de você ficar sabendo dessas notícias indica que vocês estão na mesma frequência e a sua reação com sentimentos positivos por essas pessoas diz sim a você mesmo!

Há alguns anos passei por uma fase difícil em termos de dinheiro. Tinha vários cartões de crédito com limite estourado, meu apartamento estava hipotecado, e minha empresa tinha uma dívida de alguns milhares de dólares porque eu estava fazendo um filme chamado *The Secret — O segredo*. Acho que minha situação financeira não poderia estar pior. Queria ter dinheiro para terminar o filme, conhecia a Lei da Atração e sabia que precisava emitir sentimentos positivos para atrair dinheiro. Mas não era fácil, porque eu me via diariamente confrontada com uma dívida que só fazia aumentar, pessoas me pedindo dinheiro, e não fazia ideia de como poderia pagar o salário dos meus funcionários. Decidi, então, tomar uma atitude drástica.

Fui até um caixa eletrônico e saquei várias centenas de dólares da conta do meu cartão de crédito. Precisava muitíssimo daquele dinheiro para pagar contas e comprar comida, mas saí andando com ele na mão por uma rua bem movimentada e o distribuí para as pessoas que passavam.

Com uma nota de cinquenta dólares na mão, ia andando, olhando o rosto das pessoas que passavam por mim, tentando decidir a quem dar aquele dinheiro. Queria dar dinheiro a todos, mas só tinha uma quantia determinada. Deixei o meu coração escolher e fui dando dinheiro a todo tipo de gente. Pela primeira vez na vida senti amor pelo dinheiro. Mas não era o dinheiro em si que provocava esse amor em mim, foi o fato de dar dinheiro às pessoas que me fez sentir amor por ele. Isso aconteceu numa sexta-feira, e passei o fim de semana inteiro chorando de alegria por ter me sentido tão bem ao distribuir aquele dinheiro.

Na segunda-feira à tarde aconteceu algo surpreendente: a mais incrível sequência de fatos fez com que a minha conta bancária recebesse um depósito de 25 mil dólares. Aqueles dólares literalmente caíram do céu na minha vida e na minha conta. Alguns anos antes eu tinha comprado umas ações da companhia de um amigo e já nem me lembrava mais delas, porque não valiam quase nada. Na manhã daquela segunda-feira, porém, recebi um telefonema de alguém perguntando se eu queria vender as minhas ações, que tinham disparado na bolsa de valores. E na segunda à tarde o dinheiro dessa venda estava na minha conta.

Não decidi dar dinheiro aos outros para conseguir mais dinheiro para mim. Fiz isso para sentir amor pelo dinheiro. Queria mudar um sentimento negativo que eu vinha carregando por toda vida. Se eu tivesse distribuído aquele dinheiro para conseguir mais, isso não teria funcionado. Porque eu deixaria claro que a minha atitude era motivada pela sensação de falta, o que é negativo, e não pelo amor. Mas, se você dá dinheiro e sente amor ao fazer isso, com toda certeza receberá mais dinheiro de volta. Um homem fez um cheque doando cem dólares para uma instituição de caridade que, na sua opinião, efetivamente merecia aquele dinheiro. Dez horas depois de ter feito aquele cheque, fechou o maior contrato que a sua companhia jamais tinha feito.

"Não importa quanto damos, mas sim quanto amor depositamos nesse gesto."

Madre Teresa de Calcutá (1910-1997),

MISSIONÁRIA, GANHADORA DO PRÊMIO NOBEL DA PAZ

Se você está tendo problemas com dinheiro, para se sentir realmente bem a esse respeito pode emitir pensamentos de abundância para as pessoas que vê na rua durante o dia. Olhe cada uma delas bem no rosto, imagine-se dando-lhes muito dinheiro e imagine a felicidade dessas pessoas. Sinta isso e continue fazendo a mesma coisa. É algo simples, mas, se você fizer isso de coração, os seus sentimentos com relação ao dinheiro vão mudar e, com isso, as circunstâncias de sua vida em termos de finanças também.

Carreira e negócios

> *"O verdadeiro gênio sem coração não vale nada — pois uma grande capacidade de compreensão por si só, ou a inteligência por si só, ou mesmo ambas reunidas são incapazes de fazer um gênio. Amor! Amor! Amor! Esta é a alma do gênio."*
>
> Nikolaus Joseph von Jacquin (1727-1817),
> CIENTISTA HOLANDÊS

É a força de atração do amor que move todo dinheiro do mundo, e quem quer que dê amor, tendo sentimentos positivos, é um ímã para o dinheiro. Você não precisa ganhar dinheiro para se afirmar. Você merece todo dinheiro de que precisa agora mesmo! Você merece trabalhar por prazer. Você merece trabalhar porque isso o deixa entusiasmado. Você merece trabalhar porque gosta do que faz! E, quando você tem amor pelo que faz, o dinheiro vem!

Se está trabalhando em alguma coisa porque acredita que esta é a única forma que tem de ganhar dinheiro, mas não gosta do que faz, nunca vai conseguir atrair dinheiro nem o trabalho de que gosta. Esse trabalho de que você gosta existe agora. E tudo o que você precisa fazer para atraí-lo é dar amor. Imagine que você tem esse trabalho agora, sinta isso e vai recebê-lo. Procure tudo que o seu trabalho atual tem de bom e ame essas coisas, porque quando você dá amor tudo o que você ama vem para você. O trabalho de que você gosta simplesmente vai surgir na sua vida!

Um desempregado se candidatou para um emprego que sempre desejou. Depois, criou uma falsa carta de admissão, que incluía o seu salário e detalhes sobre o trabalho. Mandou fazer um cartão de visitas com o seu nome e a logo da companhia e olhava para aquele cartão com sentimento de gratidão por estar trabalhando naquela empresa. A cada dois ou três dias, enviava a si mesmo e-mails de parabéns por ter conseguido o emprego.

Esse homem foi entrevistado por dez pessoas, tanto por telefone quanto pessoalmente. Duas horas depois dessas entrevistas, a companhia ligou dando-lhe a notícia de que ele tinha sido selecionado. Esse homem conseguiu o emprego que sempre desejou, com um salário bem maior do que ele tinha escrito na sua carta imaginária.

Mesmo que não saiba o que quer fazer na vida, basta que você dê amor, por meio de bons sentimentos, e com isso atrairá para si mesmo tudo o que ama. Os seus sentimentos de amor vão levá-lo ao seu objetivo. O emprego dos seus sonhos está na frequência do amor e, para consegui-lo, você só precisa estar nessa mesma frequência.

"O sucesso não é a chave da felicidade. A felicidade é que é a chave do sucesso."

Albert Schweitzer (1875-1965),

TEÓLOGO, FILÓSOFO E MÉDICO ALEMÃO,
GANHADOR DO PRÊMIO NOBEL DA PAZ

O sucesso nos negócios funciona exatamente do mesmo jeito. Se o seu negócio não está indo tão bem quanto você gostaria é porque está faltando alguma coisa. O principal motivo para um negócio fracassar é a emissão de sentimentos negativos com relação à perspectiva de fracasso. Mesmo no caso de as coisas estarem indo bem, se você reagir de forma negativa quando surge um pequeno problema vai provocar uma queda mais acentuada nos seus negócios. Todas as inspirações e as ideias capazes de fazer o seu negócio atingir níveis que você mal pode imaginar estão na frequência do amor, portanto você precisa encontrar meios de ter sentimentos positivos com relação ao seu negócio e se inserir na frequência mais elevada que puder.

Imagine, brinque, crie jogos, faça o que for possível para levantar o seu moral e ter sentimentos positivos. Quando você eleva os seus sentimentos, eleva também os rendimentos do seu negócio. Em qualquer área da sua vida e diariamente, ame tudo o que vir, ame tudo o que o cerca, ame o sucesso de outras empresas como se fosse o seu próprio! Se você emitir sentimentos realmente positivos com relação ao sucesso, seja ele de quem for, vai atrair sucesso para si mesmo!

Nos negócios, num emprego ou em qualquer trabalho que faça, trate de dar na mesma proporção do dinheiro que você recebe, seja em termos de lucros ou de salário. Se você der em proporção menor que o dinheiro que recebe, o seu negócio ou a sua carreira estarão fadados ao fracasso. É simplesmente impossível tirar algo de alguém na vida, porque estaremos tirando de nós mesmos. Em toda e qualquer circunstância, dê pelo menos na mesma proporção daquilo que recebe. A única forma de ter certeza de estar fazendo isso é dar mais do que o dinheiro que você recebe. Se você der mais do que o dinheiro que recebe, o seu negócio e a sua carreira vão decolar.

O amor tem formas ilimitadas de fazer você receber

O dinheiro é o único meio de que você dispõe para experimentar as coisas que ama na vida. Quando pensa no que pode fazer com o dinheiro, sente muito mais amor e alegria do que quando pensa simplesmente no dinheiro. Imagine-se diante de algo que ama, fazendo aquilo que ama e possuindo as coisas que ama, pois assim vai sentir muito mais amor do que se pensar apenas no dinheiro.

A força de atração do amor tem formas ilimitadas para você receber o que quer, e o dinheiro é apenas uma delas.

Não cometa o erro de pensar que o dinheiro é a única forma para você conseguir algo. Este é um pensamento que só vai limitar a sua vida!

A minha irmã atraiu para si um carro novo através das circunstâncias mais assustadoras. Ela estava indo para o trabalho, ficou presa numa enchente, e o seu carro parou no meio da água. Graças ao empenho de um funcionário da defesa civil, ela foi levada para um local seco, embora a água não estivesse num nível tão alto assim. Minha irmã riu durante toda essa experiência, e o seu resgate chegou até a ser transmitido pelo noticiário noturno da tevê. O carro ficou tão danificado pela água que a companhia de seguro decretou perda total. Em duas semanas ela recebeu um cheque polpudo e comprou o carro dos seus sonhos.

O detalhe mais fantástico dessa história é que nessa época a minha irmã estava fazendo uma reforma na casa e não tinha dinheiro algum para comprar um carro novo. Na verdade nem pensava nessa possibilidade. Atraiu para si um belo carro novo porque chegou a chorar de alegria quando soube que nossa outra irmã tinha comprado um. Ficou tão feliz e deu tanto amor a nossa irmã que a Lei da Atração mobilizou todos os elementos, circunstâncias e acontecimentos para lhe dar também um carro. Este é o poder do amor!

Você não pode saber como vai obter o que quer até que isso aconteça, mas a força do amor sabe. Saia do seu caminho habitual e tenha fé. Imagine o que quer, sinta a felicidade dentro de você e a força de atração do amor vai encontrar a forma perfeita para que você o receba. A nossa mente humana é limitada, mas a inteligência do amor é ilimitada. Os seus meios estão além de nossa compreensão. Não limite a sua vida pensando no dinheiro como a única forma de conseguir o que quer. Não faça do dinheiro o seu único alvo; o seu alvo deve ser o que você quer ser, fazer ou ter. Se deseja uma casa nova, imagine-a e sinta a alegria de morar nela. Se deseja belas roupas, eletrodomésticos ou um carro, se deseja entrar para a faculdade, ir morar num outro país, aprender música, interpretação teatral ou um esporte — imagine isso! Todas essas coisas podem vir ao seu encontro das mais variadas formas.

O amor dita as regras

Só existe uma lei com relação ao dinheiro: você nunca pode pôr o dinheiro à frente do amor. Se fizer isso, vai violar a Lei da Atração do amor e sofrer as consequências do seu ato. O amor deve ser a força que rege a sua vida. Nada pode ser posto acima do amor. O dinheiro é um instrumento para ser usado, e é pelo amor que você consegue atraí-lo, mas, se puser o dinheiro à frente do amor na sua vida, tudo o que vai conseguir é um punhado de coisas negativas. Você não pode dar amor ao dinheiro e sair por aí sendo grosseiro e negativo com as pessoas, porque, fazendo isso, estará abrindo a porta para que a negatividade penetre nas suas relações, na sua saúde, na sua felicidade e nas suas finanças.

"Se você exige amor, tente compreender que a única forma de consegui-lo é dando amor, que quanto mais você dá, mais recebe, e que a única forma de dar amor é encher-se de amor até que você se torne um ímã."

Charles Haanel (1866-1949),

EMPRESÁRIO E AUTOR DO MOVIMENTO NOVO PENSAMENTO

O seu destino é ter o dinheiro de que precisa para viver uma vida plena. O seu destino não é sofrer com a falta de dinheiro, porque o sofrimento só acrescenta negatividade ao mundo. A beleza da vida é que quando você põe o amor em primeiro lugar atrai para si todo dinheiro de que precisa para ter uma vida plena.

PRINCÍPIOS DO PODER

- *É a força de atração do amor que move todo dinheiro do mundo, e quem quer que dê amor, tendo sentimentos positivos, é um ímã para o dinheiro.*

- *Você pode dizer como se sente com relação ao dinheiro porque, se não tem o que julga necessário, não se sente confortável a esse respeito.*

- *O amor é a força de atração que traz dinheiro e também é o poder que o faz permanecer em nossas mãos!*

- *Ao pagar as suas contas dê um jeito, seja ele qual for, de se sentir bem. Imagine que aquelas contas são cheques que você está recebendo. Ou use a gratidão e agradeça à companhia que lhe enviou a tal conta.*

- *Quando uma quantia qualquer lhe chegar às mãos, por menor que ela seja, sinta-se grato! Lembre-se, a gratidão é o maior dos multiplicadores!*

- *Sinta amor quando pagar qualquer coisa, em vez de se sentir mal porque ficou com menos dinheiro. A diferença entre essas duas atitudes equivale à diferença entre ter muito dinheiro e passar o resto da vida lutando para ter algum dinheiro.*

- *Use o dinheiro como um lembrete para emitir sentimentos positivos sobre prosperidade. Imagine a frente de cada nota como sendo o lado positivo, que representa muito dinheiro. Sempre que pegar uma nota qualquer, lembre-se de virar a frente para você.*

- *Se você emitir sentimentos realmente positivos com relação ao sucesso, seja ele de quem for, vai atrair sucesso para si mesmo!*

- *Dê na mesma proporção do dinheiro que você recebe, seja em termos de lucros ou de salário. Se você der mais do que o dinheiro que recebe, o seu negócio e a sua carreira vão decolar.*

- *O dinheiro é o único meio de que você dispõe para experimentar as coisas que ama na vida. A força de atração do amor tem formas ilimitadas para você receber o que quer, e o dinheiro é apenas uma delas.*

- *Imagine-se diante de algo que ama, fazendo aquilo que ama e possuindo as coisas que ama, pois assim vai sentir muito mais amor do que se pensar apenas no dinheiro.*

- *A beleza da vida é que, quando você põe o amor em primeiro lugar, atrai para si todo dinheiro de que precisa para ter uma vida plena.*

O PODER E OS RELACIONAMENTOS

"Estenda a cada pessoa, por mais superficial que seja o seu contato com ela, todo cuidado, delicadeza, compreensão e amor que puder, e faça isso sem nenhuma ideia de recompensa. A sua vida nunca mais será a mesma."

Og Mandino (1923-1996),

ESCRITOR

Dar amor é a lei que se aplica a tudo na vida. E dar amor é a lei dos relacionamentos. A força do amor não quer saber se você conhece alguém ou não, se determinada pessoa é um amigo ou um inimigo, um ser amado ou um completo estranho. A força do amor não quer saber se você está diante de um colega de trabalho, um patrão, um parente, um filho, um aluno ou um vendedor de uma loja qualquer. Diante de qualquer pessoa com quem entre em contato, você estará dando amor ou não. E o que você dá é o que você recebe.

As relações são o maior canal de que se dispõe para dar amor e, portanto, você muda a sua vida inteira simplesmente por meio do amor que dá em seus relacionamentos. Ao mesmo tempo, porém, as relações podem ser o seu maior canal de armadilhas, pois muitas vezes são a sua maior desculpa para *não* dar amor!

O que você dá aos outros é o que recebe

Os seres mais iluminados da história do mundo nos disseram para amar os outros. Não nos disseram para fazer isso só para sermos boas pessoas. Eles estavam nos transmitindo o segredo da vida! Estavam nos transmitindo a Lei da Atração! Quando você amar os outros, a *sua* própria vida será maravilhosa. Quando amar os outros, *você* terá a vida que merece.

> *"Porque toda a lei se encerra num só preceito: Amarás o teu próximo como a ti mesmo."*
>
> São Paulo (C. 5-67),
>
> APÓSTOLO CRISTÃO, EPÍSTOLA AOS GÁLATAS, 5:14

Dê amor aos outros através da gentileza, do encorajamento, do apoio, da gratidão ou de qualquer outro bom sentimento e ele vai voltar para você multiplicado, trazendo amor a todas as outras áreas da sua vida, inclusive as da saúde, do dinheiro, da felicidade e da carreira.

Dê negatividade aos outros através da crítica, da raiva, da impaciência ou de qualquer outro mau sentimento e, com toda certeza, você vai receber essa negatividade de volta! Quando essa negatividade volta, ela também se multiplica, atraindo mais negatividade e afetando todo o resto da sua vida.

A questão não é o outro

Nesse exato momento você pode dizer o que os seus relacionamentos estão lhe dando. Se uma relação atual está maravilhosa, é porque você está dando mais amor e gratidão que negatividade. Se uma relação atual está difícil ou apresenta muitos desafios, é porque inadvertidamente você está dando mais negatividade que amor.

Há quem pense que um relacionamento é bom ou ruim por causa da outra pessoa, mas não é assim que a vida funciona. Você não pode dizer à força do amor: "Só vou dar amor quando o outro me der amor!" Você não pode receber nada na vida a menos que seja o primeiro a dar! O que quer que você dê, receberá de volta. Portanto, a questão não é absolutamente o outro: é você! A questão é o que está dando e o que está sentindo.

Você pode modificar qualquer relacionamento agora mesmo, procurando na outra pessoa os aspectos que você ama, aprecia e pelos quais é grato. Quando você fizer um esforço deliberado para procurar as coisas de que gosta e não ficar só reparando nos aspectos negativos, ocorrerá um milagre. Você terá a impressão de que algo incrível aconteceu com a outra pessoa. Mas é a força do amor que é incrível, porque dissolve a negatividade, mesmo a negatividade nos relacionamentos. Tudo o que precisa fazer é usar a força do amor, procurando no outro as coisas de que gosta e, com isso, tudo vai se modificar na relação.

Conheço centenas de relacionamentos que foram recuperados pelo poder do amor, mas uma história em particular me parece merecer destaque, a história de uma mulher que usou o poder do amor para restaurar seu casamento prestes a desmoronar; isto porque essa mulher já não sentia mais amor algum pelo marido. Na verdade, ela mal podia suportar a sua presença. O marido vivia se queixando. Passava o tempo todo adoentado. Andava deprimido, irritado e era verbalmente agressivo com a esposa e os quatro filhos.

Quando essa mulher descobriu o poder de dar amor, decidiu de imediato sentir-se mais feliz apesar dos problemas que tinha no casamento. O ambiente naquela casa logo se tornou mais leve, e a relação entre essa mulher e os filhos melhorou muito. Ela resolveu, então, folhear os álbuns de retratos, procurando as fotos do começo do seu casamento. Escolheu algumas e as pôs em cima da escrivaninha para poder olhá-las diariamente. Quando ela começou a fazer isso, aconteceu uma coisa incrível. Ela sentiu de novo o amor que tinha pelo marido naquela época e, ao sentir a volta desse amor, os sentimentos amorosos começaram a crescer consideravelmente dentro dela. A tal ponto que percebeu que amava o marido mais que nunca. O amor dessa mulher ficou tão grande que a depressão e a irritação do marido desapareceram e ele começou a recuperar a saúde. Essa mulher saiu de uma situação em que tudo que queria era estar o mais longe possível do marido para viver uma relação onde os dois queriam estar juntos o máximo de tempo possível.

O amor significa liberdade

Esse é o detalhe mais complicado em termos de dar amor nos relacionamentos, e é a única coisa que impede que muita gente receba a vida que merece. Mas esse detalhe só é complicado porque as pessoas entenderam mal o que significa dar amor aos outros. Para ter clareza quanto ao significado de dar amor aos outros, você precisa entender o que significa *não* dar amor aos outros.

Tentar mudar a outra pessoa é *não* dar amor! Achar que você sabe o que é melhor para a outra pessoa é *não* dar amor! Achar que você está certo e a outra pessoa, errada, é *não* dar amor! Criticar, acusar, reclamar, censurar ou ficar encontrando defeitos na outra pessoa é *não* dar amor!

> *"Não se vence o ódio pelo ódio. O ódio é vencido pelo amor. Esta é uma lei eterna."*
>
> *Siddharta Gautama, o Buda* (563-483 A.C.),
>
> FUNDADOR DO BUDISMO

Quero contar a vocês uma história que me foi enviada e que demonstra o cuidado que devemos ter com os nossos relacionamentos. A esposa de um homem o deixou, levando os filhos consigo. O homem ficou arrasado, culpava a esposa e se recusava a aceitar a decisão dela. Continuou mantendo contato, determinado a fazer o possível para que ela mudasse de ideia. Talvez achasse que estava agindo por amor à esposa e à família, mas a sua atitude não era amorosa. Ele culpava a esposa pelo fim do casamento. Acreditava que ela estava errada e ele, certo. Recusava-se a aceitar que a esposa decidisse o que era melhor para si. Por ficar procurando a esposa incessantemente, ele acabou detido e condenado à prisão.

Com o tempo, esse homem acabou compreendendo que não estava dando amor quando negava à esposa a *liberdade* de escolher o que ela queria fazer e que, com isso, ele tinha perdido a própria liberdade. A Lei da Atração é a Lei do Amor, e você não pode infringi-la. Se violar essa lei, vai ter problemas.

Resolvi contar essa história porque o fim de relacionamentos íntimos é muito perturbador para algumas pessoas. Você não pode negar o direito que o outro tem de escolher o que quer, porque isso é não dar amor. É difícil aceitar isso quando se tem o coração partido, mas precisamos respeitar a liberdade e o direito de escolha de todos. O que você dá ao outro é também o que você recebe, e quando nega a alguém a liberdade de escolha, atrai para si mesmo coisas negativas, que acabam negando a sua própria liberdade. Talvez passe a ganhar menos, ou tenha algum problema de saúde, ou se veja ameaçado de perder o emprego, porque tudo isso afetaria a sua liberdade. Para a Lei da Atração não existe "outra pessoa". Você dá a si mesmo o que dá aos outros.

Dar amor aos outros não significa deixar que as pessoas o desprezem ou o maltratem em hipótese alguma, porque isso também não é dar amor. Deixar-se usar por alguém não ajuda em nada essa pessoa e muito menos a você mesmo. O amor é inflexível, e aprendemos e crescemos por meio da sua lei. Faz parte desse aprendizado enfrentar as consequências. Portanto, deixar que outra pessoa use e abuse de você não é amor. A solução é a seguinte: penetre na frequência mais elevada de bons sentimentos que conseguir, e a força do amor vai resolver a situação *por* você.

> *"Sempre que alguém me ofende, tento erguer bem alto a minha alma para que a ofensa não a atinja."*
>
> René Descartes (1596-1650),
>
> MATEMÁTICO E FILÓSOFO

O segredo dos relacionamentos

A vida lhe apresenta tudo para que você possa escolher o que ama, e parte deste presente da vida é que você vai ter diante de si todo tipo de gente e vai poder escolher o que ama nessas pessoas e se afastar do que não ama. Não se trata de fabricar amor, procurando qualidades numa pessoa de quem você não goste. Trata-se simplesmente de se afastar, sem lhe destinar qualquer sentimento que seja.

Afastar-se daquilo de que não gosta em alguém significa que você está tranquilo a esse respeito e sabe que a vida está lhe dando uma opção. Isso não significa que você tenha que discutir com as pessoas para provar que elas estão erradas, criticá-las ou acusá-las, ou tampouco que você queira modificá-las porque pensa que está certo, pois se fizer qualquer dessas coisas é evidente que não estará dando amor!

> *"O homem bom cuida bem de si mesmo, mas o cruel prejudica o seu corpo."*
>
> Salomão (c. séc. X a.C.),
>
> rei bíblico de Israel, Provérbios, 11:17

Quando os seus sentimentos estão na frequência do amor, só pessoas que estejam na mesma frequência que você podem surgir na sua vida.

Você bem sabe que há dias em que se sente feliz, irritado ou triste. Você pode ser várias versões diferentes de si mesmo. Alguém que viva um relacionamento com você também pode ter essas várias versões, inclusive a feliz, a irritada ou a triste. Não há dúvida que você já viu as pessoas apresentarem suas diferentes versões, mas cada uma dessas versões continua sendo aquela pessoa. Quando você está feliz, só a versão feliz das outras pessoas pode entrar na sua vida, mas *você* tem de estar feliz para receber as versões felizes dos outros!

Isso não significa que você seja responsável pela felicidade alheia, pois cada pessoa é responsável por sua própria vida e sua felicidade. Isso significa que tudo que você tem a fazer é se sentir feliz, e a Lei da Atração vai se encarregar do resto.

"A felicidade depende de nós mesmos."

Aristóteles (384-322 A.C.),
FILÓSOFO E CIENTISTA GREGO

PTEs

Uma forma de atenuar os confrontos e as dificuldades nos relacionamentos é imaginar as pessoas como seus *personal trainers* emocionais! A força do amor lhe oferece toda uma série de *personal trainers* emocionais que, disfarçados de pessoas comuns, estão treinando você para escolher o amor!

Algumas delas podem ser brandas porque não fazem muita pressão sobre você e são fáceis de amar; outras são duronas porque levam você ao seu limite, como fazem alguns *personal trainers*. Mas são justamente estas que fazem você se tornar mais forte e capaz de escolher o amor em toda e qualquer circunstância.

Os *personal trainers* emocionais podem lançar mão de todo tipo de situações e táticas para desafiá-lo, mas o que você precisa lembrar é que a cada um desses desafios que se apresenta você deve escolher o amor e se afastar da negatividade e da crítica. Alguns desses PTEs podem levá-lo a julgar eles mesmos ou outras pessoas, mas não caia nessa armadilha. Julgar é negativo e não é dar amor. Portanto, se você não pode amar o que há de bom em alguém ou em algo, simplesmente afaste-se. Alguns treinadores podem testá-lo, provocando-o até você sentir raiva, ódio ou desejo de vingança. Afaste-se disso procurando as coisas que ama na vida. Outros podem até mesmo lançar a flecha da culpa, da baixa autoestima ou do medo. Não caia em nenhuma dessas armadilhas, pois a negatividade, sob qualquer forma que seja, não é amor.

> *"O ódio paralisa a vida; o amor a liberta.*
> *O ódio confunde a vida; o amor a harmoniza.*
> *O ódio obscurece a vida; o amor a ilumina."*
>
> Martin Luther King Jr. (1929-1968),
>
> MINISTRO BATISTA E LÍDER DA
> LUTA PELOS DIREITOS CIVIS

Imaginar as pessoas com quem você convive como sendo seus *personal trainers* emocionais vai ajudá-lo com qualquer relacionamento mais difícil. São os treinadores durões que tornam você mais forte e mais determinado a escolher o amor em toda e qualquer circunstância, mas eles também estão lhe transmitindo uma mensagem, lhe dizendo que você entrou numa frequência negativa de sentimento — e precisa se sentir melhor para sair dela! Ninguém pode entrar na sua vida e afetá-lo negativamente, a menos que você já esteja na mesma frequência negativa de sentimento. Se você estiver numa frequência de amor, por mais dura ou negativa que determinada pessoa seja, ela não pode nem vai afetá-lo!

Cada pessoa está simplesmente desempenhando a sua tarefa, assim como você está desempenhando a sua como *personal trainer* emocional de outras pessoas. Não existem inimigos, apenas alguns PTEs excelentes e alguns PTEs bem durões que estão fazendo você crescer.

A Lei da Atração é um verdadeiro ímã

A Lei da Atração é um verdadeiro ímã. Quando você fica feliz com a boa sorte de outra pessoa, essa boa sorte volta para você! Quando você admira ou aprecia algo em alguém, está atraindo essas qualidades para si mesmo. Mas quando você pensa ou diz coisas negativas sobre alguém, também está atraindo essas coisas negativas para si mesmo. E está trazendo todas elas para a sua vida.

A Lei da Atração responde aos *seus* sentimentos. Você recebe o que quer que dê e, portanto, se você põe uma etiqueta em qualquer pessoa, circunstância ou acontecimento da vida, estará pondo essa etiqueta em si mesmo e é isso que receberá.

Ora, isso é uma ótima notícia, porque significa que você pode atrair para si tudo o que ama e deseja, procurando as coisas que ama nas outras pessoas e dizendo sim a elas de todo coração! O mundo é o seu catálogo, e quando você compreende o poder do seu amor, reparar em tudo que ama nas outras pessoas passa a ser uma atividade contínua. Mas esta é a melhor maneira de mudar a sua vida, e também a mais fácil. Ela elimina as lutas e o sofrimento. Tudo o que você precisa fazer é prestar atenção nas coisas que ama nas outras pessoas e se afastar daquelas que não ama para não emitir qualquer sentimento a esse respeito. Não é fácil?

"Dando o primeiro passo com um bom pensamento, o segundo com uma boa palavra e o terceiro com uma boa ação, entrei no paraíso."

O livro de Arda Viraf (C. SÉC. VI),
TEXTO RELIGIOSO ZOROÁSTRICO

A fofoca também é um ímã

A fofoca parece inofensiva à primeira vista, mas pode trazer muitas coisas negativas para a vida das pessoas. Fazer fofoca não é dar amor. É dar negatividade e é exatamente isso que você vai receber de volta. A fofoca não é prejudicial para as pessoas de quem se fala; ela faz mal aos que falam!

Quando você está conversando com um parente ou um amigo e ele lhe fala de algo negativo que alguém disse ou fez, está fazendo fofoca e emitindo negatividade. Ao lhe dar ouvidos, você também está emitindo negatividade porque é um ser que tem sentimentos e não pode ouvir coisas negativas sem que os seus sentimentos acompanhem esse movimento. Quando conversa com um colega de trabalho na hora do almoço e os dois dizem algo negativo sobre alguém, estão fazendo fofoca e emitindo negatividade. É impossível falar de coisas negativas ou ouvir coisas negativas e ter bons sentimentos! Portanto, para ser bem franca, precisamos tomar cuidado para não meter o nariz na vida alheia, porque tudo que houver ali vai ser atraído para o nosso nariz! A menos que seja algo que deseja para sua vida, afaste-se dessas situações sem emitir sentimento algum. Você não estará apenas fazendo um favor a si mesmo, também estará fazendo um favor àqueles que não compreendem o efeito negativo que a fofoca pode ter na sua vida. Se por acaso se apanhar fofocando ou ouvindo alguma fofoca, pare imediatamente e diga: "Mas sou tão grato por..." e termine a frase mencionando algo de bom sobre a pessoa que está sendo objeto da fofoca.

> *"Se um homem falar ou agir com má intenção, a dor o seguirá. Se um homem falar ou agir com o pensamento puro, a felicidade o seguirá como uma sombra que jamais o deixa."*
>
> *Siddharta Gautama, o Buda* (563-483 A.C.),
> FUNDADOR DO BUDISMO

É a sua reação que escolhe

A vida lhe apresenta cada pessoa e cada circunstância para que você possa escolher o que ama e o que não ama. Quando você reage a algo, está reagindo com seus sentimentos e, assim, está escolhendo! A sua reação, seja ela boa ou má, atrai isso para você e, na verdade, você está dizendo que quer mais disso! Por isso é importante observar como reage nos seus relacionamentos, pois, se reagir com bons ou maus sentimentos, são esses os sentimentos que você estará emitindo e vai receber as mesmas circunstâncias em maior quantidade para que se sinta exatamente do mesmo jeito.

Se alguém diz ou faz algo e você se percebe aborrecido, ofendido ou zangado, faça o possível para mudar essa reação negativa imediatamente. O simples fato de você ter consciência da sua reação negativa reduz o poder dos sentimentos negativos e pode até mesmo detê-los. Mas, se você perceber que esses sentimentos negativos estão tomando conta de você, é melhor se afastar e passar uns minutinhos procurando uma a uma as coisas de que gosta até começar a se sentir melhor. Você pode usar qualquer coisa de que goste para se sentir melhor, como ouvir sua música favorita, pensar em coisas agradáveis ou fazer algo de que goste. Pode também pensar nos aspectos positivos da pessoa que o deixou aborrecido. Isso pode não ser nada fácil, mas se conseguir fazê-lo é sem dúvida a maneira mais rápida de se sentir melhor. É também a maneira mais rápida de você dominar os seus sentimentos!

> *"Um homem dono de si mesmo pode dar fim a um desgosto com a mesma facilidade com que inventa um prazer. Não quero sentir-me à mercê das minhas emoções. Quero experimentá-las, gozá-las e dominá-las."*
>
> Oscar Wilde (1854-1900),
>
> ESCRITOR

Você pode modificar qualquer situação negativa em sua vida, mas não pode fazer isso com maus sentimentos. Você precisa reagir de forma diferente à situação, porque, se continuar reagindo negativamente, os seus maus sentimentos vão ampliar e multiplicar a negatividade. Quando você emite sentimentos positivos, a positividade aumenta e se multiplica. Mesmo que você não consiga imaginar como determinada situação pode se transformar em algo positivo, ela pode! A força do amor sempre descobre um jeito.

O amor é um escudo

Para neutralizar o poder da negatividade alheia e não ser afetado por ela, lembre-se dos campos magnéticos de sentimentos que cercam cada pessoa. Existe um campo de amor, de alegria, de felicidade, de gratidão, de entusiasmo, de paixão — em suma, um campo para cada sentimento positivo. Existe também um campo de raiva, de desânimo, de frustração, de ódio, de desejo de vingança, de medo — em suma, um campo para cada sentimento negativo.

Uma pessoa cercada por um campo magnético de raiva não se sente absolutamente bem e, portanto, se você se aproximar dela é bem provável que ela dirija essa raiva para você. Não é que ela tenha a intenção de lhe fazer mal, mas é incapaz de perceber qualquer coisa boa quando está vendo o mundo através do seu campo de raiva. Tudo que essa pessoa pode ver são coisas que a enraivecem, e porque só pode ver a raiva é bem provável que se enraiveça e lance essa raiva sobre a primeira pessoa que vir — muitas vezes uma pessoa querida. Essa situação lhe parece familiar?

Se você estiver se sentindo maravilhosamente bem, a força do seu campo magnético cria um escudo que nenhuma negatividade pode ultrapassar. Portanto, pouco importa que alguém lance alguma negatividade sobre você: ela não pode atingi-lo e vai simplesmente ricochetear no seu campo de sentimentos, sem afetá-lo em absoluto.

Por outro lado, se uma pessoa lança algo negativo e você sente esse impacto, pode saber que os seus sentimentos devem ter se abatido porque a negatividade atravessou o seu campo magnético. Quando isso acontece, só há uma coisa a fazer: arranjar uma desculpa para se afastar delicadamente e poder recuperar os seus bons sentimentos. Dois campos negativos se multiplicam muito rapidamente quando entram em contato um com o outro, e é impossível que desse encontro resulte algo de bom. Isso é algo que você deve saber por experiência própria; dois campos negativos juntos não são uma cena nada agradável!

> *"Deixai quieta a água lamacenta, e ela por si só se tornará transparente."*
>
> *Lao-Tsé* (C. SÉC. VI A.C.),
> FUNDADOR DO TAOISMO

Se você está se sentindo triste, decepcionado, frustrado ou com qualquer outro sentimento negativo, está vendo o mundo através desse campo, e o mundo vai lhe parecer triste, decepcionante ou frustrante. Não poderá ver nada de bom através de um campo de sentimentos negativos. Não apenas o seu campo negativo está atraindo mais negatividade para si mesmo, mas você nunca será capaz de encontrar uma saída

para qualquer problema enquanto não tiver modificado a forma como se sente. Mudar a forma como nos sentimos é algo fácil se comparado à ideia de ficar correndo de um lado para o outro, tentando modificar as circunstâncias do mundo exterior. Qualquer ação física no mundo será incapaz de modificar a situação. Mude os seus sentimentos, e as circunstâncias externas mudarão!

> *"O poder vem de dentro, mas só podemos recebê-lo se formos capazes de dá-lo."*
>
> Charles Haanel (1866-1949),
>
> EMPRESÁRIO E AUTOR DO MOVIMENTO NOVO PENSAMENTO

Quando alguém está cercado por um campo magnético de alegria, podemos sentir essa alegria chegar até nós vinda do outro lado de uma sala. As pessoas que são populares e que têm magnetismo pessoal simplesmente se sentem bem na maior parte do tempo. O campo de alegria que as cerca é tão magnético que arrasta tudo e todos na sua direção.

Quanto mais você dá amor e se sente bem, mais magnético o seu campo se torna e mais ele se expande, fazendo com que tudo e todos o amem! Imagine só isso!

O amor é o poder que conecta todas as coisas

"Quando todos no mundo se amarem uns aos outros, os fortes não dominarão os fracos, as maiorias não oprimirão as minorias, os ricos não desdenharão dos pobres, os ilustres não desprezarão os humildes e os astuciosos não enganarão os ingênuos."

Mozi (C. 470-391 A.C.),
FILÓSOFO CHINÊS

Diariamente você tem oportunidades de dar amor aos outros através dos seus sentimentos positivos. Quando se sente feliz, está sem dúvida alguma dando positividade e amor a quem quer que entre em contato com você. Quando dá amor a qualquer pessoa que seja, esse amor volta para você, mas de uma forma muito maior do que você poderia imaginar.

Quando você dá amor a outra pessoa e o seu amor a afeta de forma tão positiva que ela dá então amor a mais alguém — pouco importa quantas pessoas sejam positivamente afetadas, pouco importa a distância que o seu amor percorra —, *todo* esse amor volta para *você*. E você não recebe de volta apenas o amor que deu à primeira pessoa, mas também todo o amor de quem quer que tenha sido afetado nessa corrente! O amor volta para você sob a forma de circunstâncias positivas, pessoas positivas e acontecimentos positivos na sua vida.

Por outro lado, se você afetar *negativamente* outra pessoa a ponto de ela afetar negativamente mais alguém, toda a negatividade assim gerada voltará para você. E você vai recebê-la de volta sob a forma de circunstâncias negativas que podem afetar suas finanças, sua carreira, sua saúde ou seus relacionamentos. O que quer que você dê aos outros, está dando a si mesmo.

"Se você está sofrendo por algo externo, a dor não se deve à coisa em si, mas ao valor que você dá a ela; e isto é algo que você tem o poder de anular a qualquer momento."

Marco Aurélio (121-180),

IMPERADOR ROMANO

Quando você está se sentindo entusiasmado, feliz e animado, esses sentimentos positivos afetam todos que se aproximam de você. Mesmo que você faça um contato rápido com alguém numa loja, num ônibus ou num elevador, se os seus sentimentos positivos fizerem a diferença para quem quer que se aproxime de você, o efeito que isso vai ter na *sua* vida é quase incompreensível.

"Lembre-se que não existem pequenos atos de gentileza. Cada ato cria ondas que não têm um fim lógico."

Scott Adams (1957-),
CARTUNISTA

O amor é a solução e a resposta para todas as relações. É impossível melhorar um relacionamento com negatividade. Use o Processo de Criação nos seus relacionamentos e dê amor para receber amor. Use as Chaves do Poder nos seus relacionamentos. Repare nas coisas de que gosta, faça listas dessas coisas, fale sobre elas e afaste-se daquelas de que não gosta. Imagine-se tendo um relacionamento perfeito, imagine isso no nível mais elevado que conseguir, e sinta-se vivendo isso com todo seu coração. Se achar difícil ter bons sentimentos quanto a um relacionamento, ame todas as outras coisas que estiverem ao seu redor e simplesmente pare de reparar nos aspectos negativos desse relacionamento!

O amor pode tudo! Tudo que você precisa fazer é dar amor por meio de sentimentos positivos e, com isso, qualquer negatividade existente nos seus relacionamentos vai desaparecer. Sempre que se vir diante de uma situação negativa num relacionamento, lembre-se que a solução é o amor! Você não vai saber *como* a questão vai se resolver, e pode nunca vir a saber, mas, se mantiver os sentimentos positivos e der amor, ela vai se resolver.

A mensagem de Lao-Tsé, Buda, Jesus, Maomé e todos os grandes seres é alta e clara — amor!

PRINCÍPIOS DO PODER

- *Diante de qualquer pessoa com quem entre em contato, você estará dando amor ou não. E o que você dá é o que você recebe.*

- *Dê amor aos outros através da gentileza, do encorajamento, do apoio, da gratidão ou de qualquer outro bom sentimento, e ele vai voltar para você, vai se multiplicar, trazendo amor a todas as outras áreas da sua vida.*

- *Quando você fizer um esforço deliberado para procurar as coisas de que gosta e não ficar só reparando nos aspectos negativos, ocorrerá um milagre. Você terá a impressão de que algo incrível aconteceu com a outra pessoa.*

- *Tentar mudar a outra pessoa é não dar amor! Achar que você sabe o que é melhor para a outra pessoa é não dar amor! Achar que você está certo e a outra pessoa errada, é não dar amor!*

- *Criticar, acusar, reclamar, censurar ou ficar encontrando defeitos na outra pessoa é não dar amor!*

- *Você tem de estar feliz para receber as versões felizes de outras pessoas!*

- *A força do amor lhe oferece toda uma série de* personal trainers *emocionais que, disfarçados de pessoas comuns, estão treinando você para escolher o amor!*

- *Você pode atrair para si tudo o que ama e deseja, procurando as coisas que ama nas outras pessoas e dizendo sim a elas de todo coração!*

- *É impossível falar de coisas negativas ou ouvir coisas negativas e ter bons sentimentos!*

- *A vida lhe apresenta cada pessoa e cada circunstância para que você possa escolher o que ama e o que não ama. Quando você reage a algo, está reagindo com seus sentimentos e, ao fazer isso, está escolhendo!*

- *Você não pode modificar uma situação negativa com maus sentimentos. Se continuar reagindo negativamente, os seus maus sentimentos vão ampliar e multiplicar a negatividade.*

- *Se você estiver se sentindo maravilhosamente bem, a força do seu campo magnético cria um escudo que nenhuma negatividade pode ultrapassar.*

- *Mudar a forma como nos sentimos é algo fácil se comparado à ideia de ficar correndo de um lado para o outro, tentando modificar as circunstâncias do mundo exterior. Mude os seus sentimentos, e as circunstâncias externas mudarão!*

- *Quanto mais você dá amor e se sente bem, mais magnético o seu campo se torna e mais ele se expande, fazendo com que tudo e todos o amem!*

O PODER E A SAÚDE

"São as forças naturais que estão dentro de nós que curarão as nossas doenças."

Hipócrates (c. 460-370 a.C.),
PAI DA MEDICINA OCIDENTAL

O que significa ter saúde? Você pode achar que significa não estar doente, mas ter saúde é muito mais que isso. Se você está se sentindo... bem, mais ou menos bem, ou não muito bem, não está saudável.

Ser saudável é se sentir exatamente como as crianças pequenas. A cada dia elas estão cheias de energia. O seu corpo se sente leve e flexível; os movimentos se fazem sem nenhum esforço. Elas se sentem lépidas. Têm a mente clara; são felizes, sem qualquer preocupação ou estresse. Têm um sono profundo, dormem tranquilamente todas as noites e, quando acordam, sentem-se inteiramente renovadas, como se tivessem um corpo novinho em folha. Sentem-se entusiasmadas e empolgadas com a perspectiva de cada novo dia. Olhe essas crianças pequenas e verá o que significa realmente ter saúde. Era assim que você se sentia, e é assim que deve *continuar* a se sentir.

Você pode se sentir assim praticamente o tempo todo, porque a saúde ilimitada está sempre à sua disposição através da força do amor! Nem por um segundo sequer algo lhe é tirado. Tudo o que você quer é seu, e isso inclui a saúde ilimitada. Mas você precisa abrir a porta para recebê-la!

Em que você acredita?

"Porque, como imaginou no seu coração, assim é ele."

Salomão (C. SÉC. X A.C.),

REI BÍBLICO DE ISRAEL, PROVÉRBIOS, 23:7

Estas são sem dúvida algumas das palavras mais sábias jamais proferidas, mas o que significa efetivamente "Porque, como imaginou no seu coração, assim é ele"?

O que você imagina em seu coração é o que acredita ser verdade. As crenças são simplesmente pensamentos repetidos que trazem consigo sentimentos fortes, tais como "eu pego resfriado com facilidade", "tenho um estômago delicado", "tenho dificuldade para perder peso", "sou alérgico a isso", "o café me tira o sono". Tudo isso são crenças, não fatos. Uma crença significa que você tomou uma decisão, o veredicto foi lançado, você trancou a porta e jogou a chave fora, e não há a mínima possibilidade de qualquer negociação. Mas aquilo em que você acredita e que sente ser verdade *será* verdade para você, pouco importando se essas crenças vão ajudá-lo ou prejudicá-lo. Quaisquer que sejam as crenças que você emita, a Lei da Atração dirá que você deve recebê-las de volta.

Muita gente tem mais crenças temerosas com relação a doenças do que crenças positivas com relação à saúde. Isso não é de surpreender por causa da atenção que se dá à doença em nosso mundo, e nós estamos cercados por isso todos os dias. Apesar de todos os avanços da medicina, as doenças continuam a aumentar porque as pessoas têm cada vez mais medo de adoecer.

Você tem mais sentimentos positivos sobre saúde do que sentimentos negativos sobre doenças? Acredita em saúde duradoura mais do que na inevitabilidade da doença? Se você acredita que o seu corpo vai se deteriorar com a idade e que a doença é inevitável, está emitindo essa crença, e a Lei da Atração vai fazer com que ela volte para você sob a forma das circunstâncias que envolvem o seu corpo e do seu estado de saúde.

> *"Porque aquilo que temia me sobreveio; e o que receava me aconteceu."*
>
> *Livro de Jó*, 3:25

O efeito placebo na medicina é prova do poder da crença. Um grupo de pacientes recebe remédio ou tratamento efetivo, enquanto outro recebe placebo — uma pílula de açúcar ou um tratamento simulado —, mas ninguém sabe em que grupo está inserido. Mesmo assim, é comum o grupo que recebe o placebo apresentar melhoras significativas e a redução ou o desaparecimento dos sintomas. Os resultados espantosos do efeito placebo estão constantemente demonstrando o poder da crença em nosso corpo. Aquilo que você está sempre *dando* ao seu corpo através das suas crenças e dos seus sentimentos fortes vai *receber* de volta também em seu corpo.

Cada sentimento que você tem satura todas as células e todos os órgãos do seu corpo. Quando tem sentimentos positivos, está dando amor e vai receber a plena força da saúde em seu corpo com uma rapidez impressionante. Quando tem sentimentos negativos, a tensão faz com que seus nervos e as suas células se contraiam, a produção química vital em seu corpo se modifica, seus vasos sanguíneos se contraem, e sua respiração fica mais curta: tudo isso reduz a força da saúde nos seus órgãos e no seu corpo inteiro. A doença é simplesmente o resultado do fato de um corpo não estar confortável por um longo período em razão de sentimentos negativos como o estresse, a preocupação, o medo.

> *"Suas emoções afetam cada célula do seu corpo. Mente e corpo, mental e físico, são interligados."*
>
> Thomas Tutko (1931-),
>
> PSICÓLOGO ESPORTIVO E ESCRITOR

O mundo dentro do seu corpo

Há um mundo inteiro dentro de você! Para compreender o poder que tem sobre seu próprio corpo, você precisa conhecer esse mundo – porque ele todo está sob seu comando!

Todas as células do seu corpo têm um papel a desempenhar e trabalham em conjunto com o único objetivo de lhe dar vida. Algumas células são os líderes de determinadas regiões ou órgãos; elas organizam e comandam todas as células operárias nessas regiões, tais como seu coração, seu cérebro, seu fígado, seus rins, seus pulmões. A célula líder de um órgão dirige e comanda todas as demais células que trabalham nesse órgão, garantindo a ordem e a harmonia necessárias para que o órgão funcione perfeitamente. Células patrulheiras percorrem 97 mil quilômetros de vasos sanguíneos existentes no seu corpo para manter a ordem e a paz. Quando há qualquer distúrbio, como por exemplo um arranhão na pele, essas células dão o alerta imediatamente, e a equipe de manutenção adequada corre para a região atingida. No caso de um arranhão, a primeira equipe a chegar é a da coagulação, que entra em ação para estancar o fluxo sanguíneo. Quando esse trabalho está terminado, entram em cena as equipes de tecido e pele para fazer os reparos necessários, emendando os tecidos e fechando a pele.

Se um intruso penetra em seu corpo, como no caso de uma infecção bacteriana ou um vírus, as células de memória tratam logo de registrar esse invasor. Esse "retrato instantâneo" é comparado com os registros que elas possuem para ver se é possível identificá-lo como já tendo invadido esse corpo anteriormente. Se for este o caso, as células de memória notificam imediatamente a equipe de ataque, que se encarrega de destruir o intruso. Caso contrário, as células de memória abrem um novo arquivo para esse intruso, e *todas* as equipes de ataque são convocadas para entrar em ação e destruí-lo. Assim que uma equipe, seja ela qual for, conseguir destruir o invasor, as células de memória vão registrar esse fato em seus arquivos.

Se algum dia ele voltar, elas saberão com quem estão lidando e como agir contra ele.

Se, por alguma razão, uma célula do seu corpo começa a alterar seu comportamento e para de trabalhar pelo bem do corpo, as células patrulheiras acionam a equipe de resgate para vir consertá-la. Se for preciso usar um elemento químico particular para esse conserto, ele será encontrado na sua farmácia natural. Você possui uma farmácia completa funcionando no seu corpo, e ela pode produzir exatamente os mesmo elementos químicos que uma companhia farmacêutica.

Todas as células precisam trabalhar em equipe 24 horas por dia, sete dias por semana, enquanto viverem. O único objetivo que elas têm é manter o seu corpo vivo e saudável. Você tem cerca de cem trilhões de células no corpo. Existem 100.000.000.000.000 de células trabalhando ininterruptamente para lhe dar vida! Todas elas estão sob seu comando, e você as comanda e lhes dá instruções com seus pensamentos, sentimentos e crenças.

Todas as crenças que você tem sobre o seu corpo as suas células também têm. Elas não discutem nada que você pense, sinta ou em que acredite. Na verdade, elas ouvem cada pensamento, cada sentimento, cada crença que você tem.

Se você pensa ou diz "toda vez que eu viajo tenho problema com fuso horário", as suas células recebem essa informação como um comando e seguem, então, as suas instruções. Pense ou sinta que você tem problema com peso, e as suas células vão receber a ordem de um problema com peso. Elas vão seguir as suas instruções e manter o seu corpo acima do peso. Fique com medo de pegar uma doença, e as suas células vão receber a mensagem dessa doença, entrando imediatamente em ação para criar os sintomas correspondentes. O fato de as suas células obedecerem a cada comando seu é simplesmente o efeito da Lei da Atração funcionando dentro do seu corpo.

> *"Volte-se para a imagem perfeita de cada órgão, e as sombras da doença nunca vão atingi-lo."*
>
> Robert Collier (1885-1950),
>
> AUTOR DO MOVIMENTO NOVO PENSAMENTO

O que você quer? De que gostaria? Porque é isso que você deve dar ao seu corpo. As suas células são seus súditos leais, que estão sempre ao seu dispor, sem qualquer questionamento, e, portanto, o que quer que você pense ou sinta torna-se a lei que rege o seu corpo. Se você quer se sentir tão bem quanto se sentia quando era pequeno, dê às suas células esses comandos: "Estou me sentindo maravilhosamente bem hoje", "tenho tanta energia...", "minha visão é perfeita", "posso comer o que quiser e manter o meu peso ideal", "durmo como um bebê todas as noites". É você que governa esse reino, e tudo o que pensar e sentir será lei no seu reino — a lei que vigora dentro do seu corpo.

O poder do seu coração

> *"Em certo sentido, o homem é um microcosmo do Universo; portanto, o homem é na verdade uma chave para o Universo."*
>
> David Bohm (1917-1992),
>
> FÍSICO QUÂNTICO

O interior do seu corpo é um mapa perfeito do Universo e do nosso sistema solar. O seu coração é o Sol e o centro do seu sistema corporal. Os seus órgãos são os planetas, e, exatamente como os planetas dependem do Sol para se manter em equilíbrio e harmonia, todos os órgãos do seu corpo dependem do seu coração para se manter em equilíbrio e harmonia.

Cientistas do HeartMath, o Instituto de Matemática do Coração, na Califórnia, demonstraram que o fato de você ter amor e gratidão no coração fortalece o seu sistema imunológico; aumenta a produção de elementos químicos vitais; aumenta a sua força e vitalidade físicas; reduz os níveis do hormônio do estresse, a pressão sanguínea, a ansiedade, a culpa e o esgotamento; melhora as taxas de glicose nos diabéticos. Sentimentos de amor também elevam o grau de harmonia no seu ritmo cardíaco. O Instituto demonstrou que o campo magnético do coração é cinco mil vezes mais possante que o do cérebro, e chega a uma distância de vários metros do seu corpo.

Através de experiências feitas com a água, outros cientistas têm revolucionado a nossa compreensão do efeito que o amor

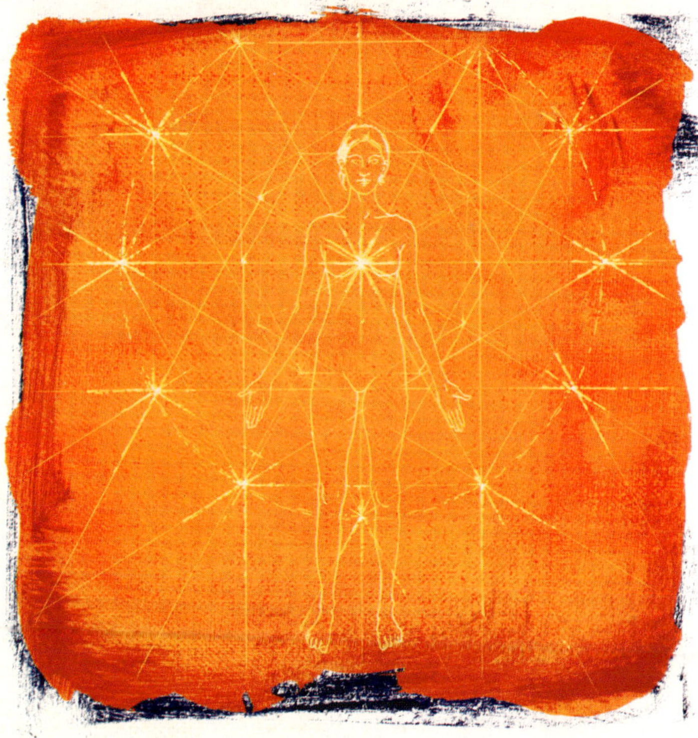

exerce sobre nossa saúde. O que a água tem a ver com a saúde? Nosso corpo é composto de 70% de água! O interior da sua cabeça é 80% água!

Pesquisadores do Japão, da Rússia, da Europa e dos Estados Unidos descobriram que, quando a água é exposta a palavras e sentimentos positivos como amor e gratidão, não apenas o seu nível de energia aumenta, mas a sua estrutura se modifica, tornando-se perfeitamente harmoniosa. Quanto mais elevados forem os sentimentos positivos, mais bela e harmoniosa ficará a água. Quando a água é exposta a emoções negativas como o ódio, o seu nível de energia se reduz, e ocorrem alterações caóticas, que afetam negativamente a sua estrutura.

Se as emoções humanas são capazes de alterar a estrutura da água, você pode imaginar o que os seus sentimentos estão fazendo com a saúde do seu corpo? As suas células se compõem quase inteiramente de água! O centro de cada célula é água, e cada célula é inteiramente cercada por uma camada de água.

Você pode imaginar o impacto que o amor e a gratidão exercem sobre o seu corpo? Pode imaginar o poder que o amor e a gratidão têm para restaurar a saúde? Quando você sente amor, o seu amor afeta a água das cem trilhões de células do seu corpo!

Como usar o poder do amor para uma saúde perfeita

"Onde há um amor imenso, há sempre milagres."

Willa Cather (1873-1947),

ROMANCISTA, GANHADORA DO PRÊMIO PULITZER

Para receber a saúde que você deseja e ama, você precisa dar amor! Diante de qualquer mal-estar, emita sentimentos positivos sobre saúde, porque só o amor traz a saúde perfeita. Você não pode ter sentimentos negativos sobre o mal-estar que está sentindo e receber saúde. Se detesta ficar doente ou tem medo das doenças, estará emitindo sentimentos negativos, e uma doença nunca é eliminada por meio de tais sentimentos. Quando você emite pensamentos e sentimentos relativos ao que você quer, as suas células recebem a plena força da saúde. Quando você emite pensamentos e sentimentos negativos com relação ao que você não quer, a força da saúde dirigida a suas células se reduz! Não importa que você esteja se sentindo mal por algum motivo que nada tem a ver com sua saúde; quando está se sentindo mal, você reduz a força da saúde no seu corpo. Mas quando sente amor por qualquer coisa que seja — um dia de sol, uma casa nova, um amigo, uma promoção no trabalho —, o seu corpo recebe a plena força da saúde.

A gratidão é o grande multiplicador, portanto diga *obrigado* pela sua saúde diariamente. Nem todo dinheiro do mundo pode comprar saúde, pois ela é um dom da vida, portanto mais que por qualquer outra coisa seja grato por ser saudável! Este é o melhor seguro que você pode fazer na vida, porque a gratidão é o verdadeiro seguro-saúde!

Seja grato pelo seu corpo em vez de ficar encontrando defeitos nele. Sempre que lhe ocorrer algo de que você não gosta em seu corpo, lembre-se que a água dentro de você está captando seus sentimentos. Diga, então, *obrigado* de todo coração por aquilo de que gosta no seu corpo, e ignore as coisas que lhe desagradam.

"O amor provoca amor."

Santa Teresa de Ávila (1515-1582),

FREIRA, MÍSTICA E ESCRITORA

Antes de comer ou beber água, olhe para o que vai comer ou beber e sinta amor e gratidão. Faça questão de ter conversas positivas durante as refeições.

Abençoar o que se vai comer dá amor e gratidão à comida. Ao abençoar o que vai comer, você modifica a estrutura da água na comida e o efeito que ela vai produzir no seu corpo. Abençoar a água com amor e gratidão faz o mesmo. Os seus sentimentos positivos de amor podem modificar a estrutura da água em todas as coisas — portanto, use esse poder.

Você pode dar amor e gratidão e usar o poder desses sentimentos quando estiver recebendo algum tratamento médico. Se conseguir imaginar que está bem, pode *sentir* que está bem, e se puder sentir isso, é o que vai receber. Para ver a sua saúde melhorar, basta que você dê amor mais que 50% do tempo. Cinquenta e um por cento já fazem a diferença entre doença e saúde.

Ao se submeter a um exame de vista ou verificar a pressão arterial, ou ainda se estiver fazendo um checkup, recebendo resultados de exames ou qualquer outra coisa relativa à sua saúde, é muito importante que tenha sentimentos positivos durante os exames ou ao receber seus resultados para ter boas notícias. Pela Lei da Atração, o resultado de um checkup ou de exames será equivalente à frequência em que você se encontra. Portanto, para produzir o bom resultado que deseja, você precisa estar na frequência adequada para recebê-lo! É assim que as coisas acontecem na vida. O resultado de qualquer situação de sua vida vai ser sempre correspondente à frequência em que você se encontra, porque é assim que a Lei da Atração atua! Para se inserir numa frequência de sentimentos positivos com relação a um exame, imagine o resultado que deseja e sinta que já recebeu esse resultado. Qualquer resultado é possível, mas você precisa estar numa frequência de sentimentos positivos para receber bons resultados.

"Possibilidades e milagres significam a mesma coisa."

Prentice Mulford (1834-1891),

AUTOR DO MOVIMENTO NOVO PENSAMENTO

Imagine e sinta que você tem em seu corpo a saúde que deseja. Se quiser melhorar a visão, dê amor à visão perfeita e imagine que é isso que você possui. Dê amor à audição perfeita e imagine que é o que você possui. Dê amor ao peso perfeito, ao corpo perfeito, à perfeita saúde de um órgão; imagine que é o que você possui e sinta-se imensamente grato por tudo que tem! O seu corpo vai se transformar no que quer que você deseje, mas só pode fazer isso por meio dos sentimentos do amor e da gratidão.

Quando uma mulher jovem e saudável soube que tinha uma rara doença cardíaca, sentiu a própria vida desmoronar. De repente, sentiu-se enfraquecida e frágil. O seu futuro — uma vida normal e saudável — desapareceu com aquele diagnóstico. A ideia de deixar órfãs as duas filhas pequenas a apavorava. Mas essa mulher decidiu fazer tudo que pudesse para curar seu coração.

Recusou-se a alimentar qualquer pensamento negativo sobre seu coração. Diariamente levava a mão direita ao coração e o imaginava forte e saudável. Toda manhã, ao acordar, agradecia sinceramente pelo coração forte e saudável que tinha. Imaginava os cardiologistas lhe dizendo que estava curada. Fez tudo isso dia após dia durante quatro meses. E então, quando os cardiologistas examinaram seu coração, ficaram desconcertados. Compararam mil vezes o novo exame com os anteriores, porque esse novo exame mostrava que o coração daquela mulher era forte e perfeitamente saudável.

Essa mulher viveu de acordo com a Lei da Atração do amor. Não admitiu que o diagnóstico de uma doença cardíaca se instalasse em sua mente — pelo contrário, deu amor a um coração saudável e passou a ter um coração saudável. Se você estiver enfrentando qualquer enfermidade, faça o possível para não alimentá-la com seus pensamentos e palavras. Mas tampouco tenha raiva da sua doença, porque isso também significa lhe transmitir negatividade. Em vez disso, dê amor à saúde, alimente a saúde e apodere-se dela.

> *"Faça o possível para que sua mente não se detenha em sua doença. Pense em força e poder e vai eliminá-la de si mesmo. Pense em saúde e vai obtê-la."*
>
> Prentice Mulford (1834-1891),
>
> AUTOR DO MOVIMENTO NOVO PENSAMENTO

A cada momento que você sentir amor por sua saúde, a força do amor estará eliminando toda a negatividade do seu corpo! Se achar difícil ter bons sentimentos sobre sua saúde, lembre-se que o que importa é que você sinta amor por algo, portanto cerque-se das coisas de que gosta e use-as para se sentir da melhor maneira possível. Use tudo que puder do mundo exterior para poder sentir amor. Veja filmes que o façam rir e sentir-se bem e não filmes que o deixem tenso ou triste. Ouça músicas que o façam sentir-se bem. Peça às pessoas que o cercam que lhe contem piadas que o façam rir ou que lhe contem histórias engraçadas de situações embaraçosas que elas vivenciaram. Você sabe do que gosta. Sabe quais são as suas coisas favoritas. Sabe o que o deixa feliz, portanto lance mão de tudo isso e sinta-se o melhor que puder. Use o Processo de Criação. Use as Chaves do Poder. Lembre-se que basta dar amor e sentimentos positivos por pelo menos 51% do tempo para poder transformar tudo!

Se você quer ajudar alguém que está doente, pode usar o Processo de Criação e, assim, imaginar e sentir que essa pessoa recuperou a plena saúde. Embora você não possa interferir no que outra pessoa está dando à Lei da Atração, o seu poder pode ajudá-la a se elevar a uma frequência em que poderá receber saúde.

A beleza vem do amor

"À medida que o amor cresce em você, a beleza também cresce. Pois o amor é a beleza da alma."

Santo Agostinho (354-430),

TEÓLOGO E BISPO

Toda beleza vem da força do amor. Você tem à sua disposição uma beleza ilimitada através do amor. O problema, porém, é que o mais comum é a pessoa encontrar defeitos e criticar o próprio corpo em vez de apreciá-lo. Procurar os seus defeitos e ficar infeliz com relação a qualquer detalhe do seu corpo não lhe trará beleza! Essa atitude só lhe trará mais defeitos e mais infelicidade.

O mercado da beleza é imenso e, no entanto, uma beleza ilimitada está sendo oferecida a você a cada segundo. Mas você precisa dar amor para recebê-la! Quanto mais feliz você for, mais bonito será. As rugas se atenuam, a pele fica mais tonificada e brilhante, o cabelo fica mais forte e volumoso, os olhos começam a brilhar e até a sua cor se intensifica. E, mais que qualquer outra coisa, você terá a prova de que a beleza vem do amor quando as pessoas forem atraídas para você, aonde quer que você vá.

Você tem realmente a idade que sente ter

Os textos antigos dizem que houve épocas em que as pessoas viviam centenas e centenas de anos. Algumas viveram oitocentos anos, outras, quinhentos ou seiscentos anos, mas a longevidade era coisa comum. Então, o que aconteceu? As pessoas mudaram suas crenças. Em vez de acreditar na possibilidade de viver centenas e centenas de anos, elas foram modificando suas crenças ao longo das gerações e acabaram acreditando numa expectativa de vida reduzida.

Nós herdamos essas crenças em uma expectativa de vida reduzida. Desde que nascemos a crença em quanto tempo podemos viver foi costurada no tecido da nossa mente e do nosso coração. A partir daí, literalmente programamos nosso corpo desde crianças para viver um certo período de tempo, e o nosso corpo envelhece de acordo com nossa programação.

> *"Até hoje não se encontrou nada na biologia que indique a inevitabilidade da morte. Isso me faz pensar que ela não é absolutamente inevitável e que é só uma questão de tempo até os biólogos descobrirem o que está causando em nós esse problema."*
>
> Richard Feynman (1918-1988),
>
> FÍSICO QUÂNTICO, GANHADOR DO PRÊMIO NOBEL

Se possível, não estabeleça um teto para a sua vida. Se uma pessoa romper os limites da expectativa de vida, vai alterar o curso da expectativa de vida para a humanidade inteira. Uma após a outra, as pessoas vão seguir o mesmo caminho, porque, quando alguém ultrapassa em muito a atual expectativa de vida, as outras pessoas começam a acreditar e a sentir que também podem fazer isso, e vão fazer!

Se você acredita e sente que o envelhecimento e a deterioração são inevitáveis, eles vão acontecer. Suas células, seus órgãos e seu corpo recebem suas crenças e seus sentimentos. *Sinta-se* jovem e pare de sentir a idade que tem. Sentir-se velho é apenas uma crença que lhe foi transmitida e um programa que você estabeleceu para seu corpo. Você pode alterar o comando que está enviando a seu corpo sempre que desejar, basta para isso mudar a sua crença!

Como você pode mudar suas crenças? Dando amor! As crenças negativas, tais como limitação, envelhecimento ou doença, não surgem do amor. Quando você dá amor, quando se sente bem, o amor desmancha qualquer negatividade, inclusive as crenças negativas que o prejudicam.

> *"O amor que brota para todos é o verdadeiro elixir da vida — a fonte da longevidade do corpo. É a falta do amor que sempre provoca o sentimento do envelhecer."*
>
> Josiah Gilbert Holland (1819-1881),
> ESCRITOR

O amor é verdade

Quando você era pequeno, era flexível e fluido porque ainda não tinha formado ou aceitado tantas crenças negativas sobre a vida. Quando cresceu, foi assumindo mais sentimentos de limitação e negatividade, que fizeram você ficar mais rígido e menos flexível. Isso não é uma vida incrível; é uma vida limitada.

Quanto mais você amar, mais a força do amor diluirá a negatividade em seu corpo e em sua mente. E você pode sentir o amor diluindo tudo que é negativo quando você está feliz, alegre, cheio de gratidão. Você pode sentir isso! Você se sente leve, invencível, sente-se no topo do mundo.

À medida que você vai dando mais e mais amor, vai percebendo que as modificações começam a acontecer em seu corpo. A comida fica mais gostosa, as cores, mais brilhantes, os sons, mais claros, verrugas ou pequenos sinais em seu corpo começam a se atenuar e a desaparecer. Seu corpo começa a se sentir mais flexível; a rigidez e os estalos começam a desaparecer. Quando você dá amor e experimenta os milagres em seu corpo, adquire a certeza de que o amor é a fonte da saúde!

O amor está por trás de todos os milagres

Todos os milagres são a força do amor em ação. Eles são criados quando nos afastamos da negatividade e nos concentramos apenas no amor. Mesmo que você tenha sido pessimista a vida inteira, não é tarde para mudar.

Era exatamente assim que um homem se descrevia: pessimista. Quando esse homem recebeu a surpreendente notícia de que a esposa estava esperando o terceiro filho, tudo o que lhe ocorreu foi qual seria o impacto negativo daquele terceiro filho na vida da família. Mas o que ele não percebeu foi justamente como esses pensamentos e sentimentos negativos iam atuar sobre ele.

Quando estava no sexto mês de gravidez, a esposa desse homem teve de ser levada às pressas para o hospital e foi preciso realizar uma cesariana para retirar a criança. Três especialistas diferentes disseram que, com 23 semanas de gestação, o bebê não tinha qualquer chance de sobreviver. O pai ficou desesperado. Nunca imaginou perder um filho.

Depois da cesariana, ele foi levado para ver o filho, o menor bebê que já tinha visto na vida. A criança nasceu com menos de 25 centímetros de comprimento, pesando apenas 340 gramas. A equipe médica estava tentando fazer os pulmões do bebê funcionarem usando um aparelho, mas seus batimentos cardíacos estavam diminuindo. Segundo o especialista, não havia nada que pudessem fazer. Mentalmente, o pai gritou: "Por favor!" Neste exato momento, o aparelho de ventilação inflou os pulmões da criança, e os seus batimentos cardíacos começaram a subir.

Alguns dias se passaram. Todos os médicos do hospital continuavam a dizer que o bebê não sobreviveria. Mas aquele homem, que tinha sido pessimista a vida toda, começou a imaginar o que queria. Toda noite, quando ia se deitar, imaginava a luz do amor brilhando sobre o filho. Quando acordava de manhã, agradecia a Deus por seu filho ter sobrevivido mais uma noite.

A cada dia o bebê ia fazendo progressos e superando todos os obstáculos que surgiam. Depois de quatro meses angustiantes num CTI, o casal pôde levar o bebê — a quem não tinham dado nem uma chance de sobrevivência — para casa.

O amor está por trás de todos os milagres.

PRINCÍPIOS DO PODER

- *Aquilo que você está sempre dando ao seu corpo através das suas crenças e dos seus sentimentos fortes vai receber de volta também em seu corpo. Cada sentimento que você tem satura todas as células e todos os órgãos do seu corpo.*

- *É você que governa esse reino, e as suas células são seus súditos leais, que estão sempre ao seu dispor, sem qualquer questionamento e, portanto, o que quer que você pense ou sinta torna-se lei no seu reino — a lei que vigora dentro do seu corpo.*

- *Quando você emite pensamentos e sentimentos negativos com relação ao que você não quer, a força da saúde dirigida a suas células se reduz! Mas quando sente amor por qualquer coisa que seja — um dia de sol, uma casa nova, um amigo, uma promoção no trabalho —, o seu corpo recebe a plena força da saúde.*

- *A gratidão é o grande multiplicador, portanto diga obrigado pela sua saúde diariamente.*

- *Diga, então, obrigado de todo coração por aquilo de que gosta no seu corpo, e ignore as coisas que lhe desagradam.*

- *Para ver a sua saúde melhorar, basta que você dê amor por mais que 50% do tempo. Cinquenta e um por cento já fazem a diferença entre doença e saúde.*

- *Se você estiver enfrentando qualquer enfermidade, faça o possível para não alimentá-la com seus pensamentos e palavras. Em vez disso, dê amor à saúde, alimente a saúde e apodere-se dela.*

- *Dê amor ao peso perfeito, ao corpo perfeito, à perfeita saúde de um órgão; imagine que é o que você possui e sinta-se imensamente grato por tudo que tem!*

- *Se você acredita que o seu corpo vai se deteriorar com a idade, está emitindo essa crença, e a Lei da Atração vai devolver essas circunstâncias a você.*

- *Sinta-se jovem e pare de sentir a idade que tem.*

- *O seu corpo vai se transformar no que quer que você deseje, mas só pode fazer isso por meio dos sentimentos do amor e da gratidão.*

O PODER E VOCÊ

"O poder para felicidade, para o bem, para tudo de que precisamos na vida está dentro de cada um de nós. Ele está ali — um poder ilimitado."

Robert Collier (1885-1950),

AUTOR DO MOVIMENTO NOVO PENSAMENTO

Tudo tem uma frequência — tudo! Cada palavra tem uma frequência, cada som, cada cor, cada árvore, animal, planta, mineral, cada objeto material. Todos os tipos de comida e bebida têm uma frequência. Cada lugar, cidade e país tem uma frequência. Os elementos, o ar, o fogo, a terra e a água, têm uma frequência. A saúde, a doença, a abundância ou a falta de dinheiro, o sucesso ou o fracasso têm todos uma frequência. Cada acontecimento, situação e circunstância tem uma frequência. Até mesmo o seu nome tem uma frequência. Mas o verdadeiro nome da sua frequência é o que você está sentindo! E o que quer que você esteja sentindo traz para sua vida tudo que estiver numa frequência semelhante à sua.

Quando você está feliz, e continua feliz, só pessoas, circunstâncias e acontecimentos felizes podem surgir em sua vida. Se estiver estressado, e continuar estressado, só o que pode surgir na sua vida é mais estresse através das pessoas, das circunstâncias e dos acontecimentos. Você já viu isso acontecer quando está apressado por estar atrasado. A pressa é um sentimento negativo e, com toda certeza, quando você corre e tem medo de estar atrasado, atrai todo tipo de atraso e obstáculo para o seu caminho. É a Lei da Atração funcionando na sua vida.

Percebe como é importante se sentir bem antes de começar um novo dia? Se você não tirar um tempo para se sentir bem, não poderá receber coisas boas durante esse dia. E, quando alguma coisa negativa acontece, fica muito mais difícil modificar a situação, porque, uma vez que as coisas negativas estejam na sua frente, você passa efetivamente a acreditar nelas! É muito mais fácil tirar um tempo para se sentir bem e evitar assim que as coisas negativas apareçam. Você pode mudar tudo em sua vida mudando a forma como se sente. Mas não é melhor ter mais coisas boas já desde o começo?

Veja o filme de sua vida!

A vida é mágica! O que acontece em um dia de sua vida é mais mágico que qualquer filme que você possa ver, mas você precisa *olhar* para o que está acontecendo com a mesma atenção que dá a um filme. Se estiver vendo um filme e se distrair com o telefone que toca ou mesmo pegar no sono, vai perder o que está acontecendo. É a mesma coisa com o filme de sua vida, que está sempre passando na tela do seu dia. Se você estiver sonolento e desatento, perde as mensagens e as sincronicidades, que estão constantemente lhe falando, guiando-o e orientando-o na vida!

A vida lhe responde. Ela se comunica com você. Não existem acidentes ou coincidências: cada coisa tem uma frequência, e quando uma coisa qualquer surge em sua vida é porque está na mesma frequência que você. Tudo que você vê — cada letreiro, cor, pessoa, objeto —, tudo que ouve, cada circunstância e cada acontecimento está na sua frequência.

"Nesta conexão os fatos são tão impressionantes que parece até que o próprio Criador projetou eletricamente este planeta."

Nikola Tesla (1856-1943),

INVENTOR DO RÁDIO E DA CORRENTE ALTERNADA

Você bem sabe que quando está dirigindo e vê um carro da polícia fica imediatamente mais alerta. Há um motivo para você ver o carro da polícia, e muito provavelmente ele está lhe dizendo "fique mais alerta!". Ver o carro de polícia pode inclusive significar mais. É preciso, porém, que você faça a pergunta "o que isso está me dizendo?" para receber a resposta. A polícia representa lei e ordem, portanto o carro da polícia pode significar que algo está fora de ordem em sua vida: você esqueceu de retornar a ligação de um amigo, por exemplo, ou não agradeceu alguém por alguma coisa.

Quando ouve a sirene de uma ambulância, o que ela estará lhe dizendo? Para ser grato pela saúde que tem? Está funcionando como um lembrete para que você dê amor e agradeça pela saúde das pessoas que fazem parte da sua vida?

Quando vê um carro de bombeiro passar a toda com as luzes e as sirenes ligadas, o que ele estará dizendo a *você*? Que há um incêndio em algum ponto da sua vida e que você deve apagá--lo? Ou talvez que você deva reacender o seu amor? Só você pode saber o significado dessas coisas que surgem em sua vida, mas tem de estar atento para o que está acontecendo ao seu redor e, assim, poder fazer perguntas e descobrir o sentido da mensagem que lhe foi enviada.

Você está constantemente recebendo mensagens e feedbacks, e isso durante a vida *toda*! Sempre que ouço algo, mesmo que sejam as palavras da conversa de dois estranhos que estão perto de mim, sei que se pude ouvir aquelas palavras é porque elas têm um sentido em minha vida. As palavras desses estranhos são uma mensagem para mim, são importantes para mim, e estão me dando um feedback qualquer relacionado à minha vida. Se estou viajando, reparo numa placa e leio as palavras ali escritas, essas palavras têm um significado para mim, são uma mensagem para mim, são importantes para mim. São importantes porque estou na mesma frequência que elas. Se eu estivesse numa frequência diferente, não repararia na tal placa nem entreouviria a tal conversa.

Cada coisa que está ao meu redor durante o dia está falando comigo e me dando feedbacks e mensagens constantes. Se percebo que as pessoas que me cercam não estão tão contentes ou sorridentes quanto antes, sei que a minha frequência de sentimento baixou e logo trato de pensar nas coisas de que gosto, até me sentir mais feliz.

"Nós devemos ser a mudança que queremos ver no mundo."

Mahatma Gandhi (1869-1948),
LÍDER POLÍTICO INDIANO

O seu símbolo secreto

Você pode brincar com a Lei da Atração pedindo para ver uma evidência física da força do amor. Pense em algo que você adora e faça disso o seu símbolo da força do amor. Sempre que vir ou ouvir o seu símbolo, saberá que a força do amor está com você. Eu escolhi como símbolo a luz clara, brilhante, assim, se o sol ou a sua luz refletida em algo bate nos meus olhos ou ainda se vejo um reflexo de luz brilhante, sei que é a força do amor e que ela está comigo. Quando estou transbordando de alegria e cheia de amor, a luz se reflete em tudo que me cerca. Minha irmã escolheu o arco-íris como símbolo, e quando ela está transbordando de amor e gratidão, para onde quer que olhe vê arco-íris de todos os tipos ao seu redor. Você pode escolher estrelas, ouro, prata, qualquer cor, animal, pássaro, árvore ou flor de que goste particularmente para ser seu símbolo. Pode escolher palavras ou sons como símbolo secreto, o importante é que, escolha você o que escolher, tem de ser alguma coisa que você adore.

Se quiser, pode escolher também um símbolo como sinal de alerta da força do amor, dizendo-lhe para prestar mais atenção às coisas. Na verdade, você está recebendo mensagens e alertas o tempo todo. Quando deixa cair alguma coisa, quando dá um passo em falso, quando prende a roupa em algo ou quando esbarra em seja lá o que for, está recebendo um alerta e uma mensagem, que lhe dizem para parar com o que está pensando ou sentindo! Não existem acidentes ou coincidências na vida — tudo é sincronicidade —, porque tudo tem uma frequência. Trata-se simplesmente da física da vida e do Universo em ação.

"Quando olho para o sistema solar vejo a Terra à distância certa do Sol, de modo a receber a quantidade certa de calor e de luz. Isso não aconteceu por acaso."

Isaac Newton (1643-1727),

FÍSICO E MATEMÁTICO

A vida é mágica

Existe algo entre mim e o amor, e esta é a relação mais mágica e empolgante que alguém pode ter. Quero compartilhar com vocês a forma como vivo cada dia com esse conhecimento.

Toda manhã, ao acordar, agradeço por estar viva e por tudo e todos que fazem parte da minha vida. Toda manhã passo 15 minutos sentindo amor e enviando esse amor ao mundo.

Imagino o meu dia. Imagino e sinto amor porque o meu dia vai transcorrer bem. Imagino e sinto amor por cada coisa que vai dar certo no meu dia antes de mais nada. Ponho a força do amor à minha frente em tudo que faço, sentindo o máximo de amor possível dentro de mim *antes* de fazer qualquer coisa! Não abro e-mails ou encomendas, não dou nem recebo telefonemas importantes, não faço nada importante, a menos que esteja me sentindo bem.

Quando me visto pela manhã, sinto uma enorme gratidão pelas minhas roupas. Para poupar tempo, também faço a pergunta "qual o traje perfeito para usar hoje?". Há alguns anos decidi brincar com a Lei da Atração e meu guarda-roupa. Em vez de tentar descobrir se tal saia ficaria bem com tal blusa e às vezes vestir alguma coisa e tirar tudo porque as peças não combinavam bem (o que atrai mais coisas que não vão combinar bem), decidi entregar a escolha das roupas que usaria nas mãos da força do amor. Tudo que eu tinha a fazer então era *imaginar* como *seria* se tudo que eu vestisse ficasse ótimo. Depois de imaginar isso, de sentir isso e de fazer a pergunta "o que eu uso hoje?", fico admiradíssima ao ver o efeito e a aparência das roupas que eu vesti.

Ao andar pelas ruas fico atenta e reparo nas pessoas que passam por mim. Envio pensamentos e sentimentos de amor para o máximo de gente possível. Olho cada pessoa no rosto, sinto amor dentro de mim e as imagino recebendo esse amor. Sei que a força do amor é a fonte da abundância de dinheiro, dos relacionamentos felizes, da boa saúde e de tudo que qualquer pessoa deseja. Portanto, mando amor para as pessoas porque sei que ao fazer isso estou lhes mandando o que quer que elas possam desejar.

Quando vejo alguém que parece estar particularmente necessitado de algo, alguém que não pode comprar algo que deseja, por exemplo, mando-lhe pensamentos de abundância de dinheiro. Se alguém parece aborrecido, mando-lhe felicidade. Se alguém parece estressado e está apressado, mando-lhe pensamentos de paz e alegria. Seja quando estou fazendo compras no mercado, andando pelas ruas ou dirigindo, em qualquer lugar em que esteja em meio a outras pessoas, faço o possível para mandar amor a todas elas. Sei também que sempre que vejo alguém particularmente necessitado, isso é uma mensagem, dizendo-me para ser grata pelo dinheiro, pela felicidade, pela paz e pela alegria que tenho na vida.

Quando estou num avião, mando amor para todos ali dentro. Quando estou num restaurante, mando amor para as pessoas e para a comida. Ao lidar com empresas e companhias, ou quando estou fazendo compras em lojas, mando amor para todos os que estão ali.

Quando pego o carro para ir a algum lugar, imagino-me voltando para casa feliz e bem e digo “obrigada”. Antes de sair com o carro pergunto “qual o melhor trajeto a fazer?”. Sempre que entro e saio de casa digo “obrigada” à minha casa. Quando estou fazendo compras num supermercado pergunto “do que mais eu preciso?” e “já comprei tudo?”, e sempre recebo as respostas.

"Com certeza o conhecimento é uma fechadura cuja chave é a pergunta."

Ja'far al-Sadiq (702-765),
LÍDER ESPIRITUAL ISLÂMICO

Todo dia faço várias perguntas, às vezes milhares delas. Pergunto "Como estou me saindo hoje?", "O que eu devo fazer nessa situação?", "Qual a melhor decisão a tomar?", "Qual é a solução para esse problema?", "Qual a melhor escolha a fazer?", "Essa é a pessoa ou a empresa certa?", "Como posso me sentir melhor?", "Como posso elevar meus sentimentos?", "Onde preciso dar amor hoje?", "O que posso ver que desperte a minha gratidão?".

Quando você faz uma pergunta, está *dando* uma pergunta e deve *receber* a resposta! Mas você precisa estar alerta e consciente para ver ou ouvir as respostas para suas perguntas. Você pode receber a resposta ao ler alguma coisa, ouvir alguma coisa, sonhar com alguma coisa. Às vezes, de repente você simplesmente descobre que sabe a resposta para a sua pergunta. Mas, de uma forma ou de outra, sempre vai receber essa resposta!

Se não sei onde deixei algo, como minhas chaves, por exemplo, pergunto "Onde estão minhas chaves?"; sempre recebo a resposta. Mas as coisas não param por aí. Quando encontro as chaves, pergunto "O que isso está querendo me dizer?", em outras palavras, por que esqueci onde tinha deixado as chaves? Pois há uma razão para tudo! Acidentes ou coincidências não existem. Às vezes a resposta que recebo é "Calma, você está apressada demais", às vezes a resposta é "Sua carteira não está na bolsa" e dou uma olhada na sala, onde acabo encontrando as chaves e a carteira. Às vezes a resposta não vem imediatamente, mas quando já estou na porta para sair o telefone toca e me avisam que o compromisso que eu tinha havia sido cancelado. Percebo, então, imediatamente, que esqueci onde tinha deixado as chaves por uma boa razão. Adoro o jeito como a vida funciona, mas você não pode ter nenhuma resposta ou feedback se não fizer perguntas!

Às vezes a vida pode me aprontar alguma surpresa, mas, quando isso acontece, sei que fui eu que atraí o que aconteceu. Sempre pergunto como atraí qualquer problema que apareça para poder aprender com isso e, assim, não repetir a mesma coisa.

Para compensar tudo que recebo, dou o máximo de amor possível ao mundo. Procuro o que há de bom em tudo e em todos. Sou grata por tudo. E, quando dou amor, sinto a força do amor percorrendo o meu corpo inteiro, enchendo-me de tanto amor e tanta alegria que chego a ficar sem fôlego. Mesmo quando você tenta retribuir com amor tudo que recebeu, a força do amor multiplica esse amor e devolve ainda *mais* amor para você! Quando você sentir isso acontecer em sua vida uma vez que seja, nunca mais será o mesmo.

O amor fará qualquer coisa para você

Você pode utilizar a força do amor para ajudá-lo em qualquer coisa que seja na vida. Pode deixar por sua conta qualquer coisa de que precise se lembrar e pedir à força do amor que faça isso para você na hora certa. Pode pedir que a força do amor seja o seu despertador e o acorde na hora que desejar. Ela pode ser o seu assessor pessoal, seu gerente financeiro, seu *personal trainer* em termos de saúde, seu conselheiro de relacionamentos e se encarregar do seu dinheiro, do seu peso, da sua alimentação, das suas relações ou de qualquer outra tarefa que você queira lhe atribuir. Mas ela só fará essas coisas se você se aliar a ela através do amor e da gratidão! Só fará essas coisas quando você unir forças com ela através do amor e abrir mão do desejo de tentar controlar tudo por conta própria.

> *"À medida que sua fé se fortalece, você descobre que não é mais necessário ter uma noção de controle; que as coisas vão fluir como deve ser e que você vai fluir junto com elas para seu maior prazer e maior bem."*
>
> Wingate Paine (1915-1987),
> ESCRITOR E FOTÓGRAFO

Alie-se à maior força que existe na vida, e tudo o que você quiser que a força do amor faça para você, imagine-se já tendo isso, sinta-se tendo isso com absoluto amor e gratidão, e vai recebê-lo.

Use a imaginação e pense em tudo que a força do amor pode fazer por você. A força do amor é *a* inteligência da vida e do Universo. Se puder imaginar a inteligência capaz de criar uma flor ou uma célula em um corpo humano, compreenderá que não existe uma única pergunta que você possa fazer para a qual não receba a resposta perfeita, qualquer que seja a situação que você se encontre. O amor fará tudo por você, mas você precisa se unir a ele, por meio dele, para transformar em realidade esse poder na sua vida.

Que diferença isso faz?

"Na confusão, busca-se a simplicidade. Na discórdia, busca-se a harmonia. Na dificuldade, está a oportunidade."

Albert Einstein (1879-1955),

FÍSICO GANHADOR DO PRÊMIO NOBEL

Se sua mente estiver tomada por um excesso de detalhes, esses pequenos detalhes vão acabar por distraí-lo, baixando o nível dos seus sentimentos. Você não pode se concentrar na ideia de se sentir bem se estiver preocupadíssimo com detalhes ínfimos, que não têm a menor importância. Na verdade, que diferença faz se você não conseguir levar as roupas à lavanderia antes de a loja fechar? Que diferença faz para *sua* vida se o seu time não ganhar essa semana? Há sempre uma outra semana. Que diferença faz se você perder o ônibus? Que diferença faz se não tem mais laranjas na mercearia? Que diferença faz se você precisa ficar alguns minutos numa fila? No cômputo geral, que diferença fazem essas pequenas coisas?

Os pequenos detalhes o distraem e podem sabotar sua vida. Se você der excessiva importância a detalhes desnecessários, não poderá se sentir bem. Nada disso tem importância para sua vida! Nada disso! Simplifique as coisas. Faça isso para proteger os seus sentimentos positivos. Faça isso porque ao se livrar dos pequenos detalhes você abre espaço para tudo que deseja trazer para sua vida.

É você que dá sentido à vida

É você que dá sentido a tudo na vida. Nenhuma situação chega trazendo um rótulo de boa ou má. Tudo é neutro. Um arco-íris e uma trovoada não são bons ou maus, são apenas um arco-íris e uma trovoada. Você dá sentido a um arco-íris pela forma como se sente a respeito dele. Você dá sentido a uma trovoada pela forma como se sente a respeito dela. Você dá sentido a tudo pela forma como se sente. Um emprego não é bom ou ruim, é apenas um emprego, mas a forma como você se sente com relação ao seu emprego determina se ele vai ser bom ou mau para você. Um relacionamento não é bom ou ruim em si mesmo, é apenas um relacionamento. Mas a forma como você se sente com relação a ele determina se ele vai ser bom ou mau para você.

> *"Nada é bom ou mau; o pensamento é que faz as coisas assim."*
>
> William Shakespeare (1564-1616),
> DRAMATURGO INGLÊS

Se alguém prejudica outra pessoa, a Lei da Atração responde infalivelmente. Ela pode lançar mão da polícia, das leis ou de diversas outras formas para devolver àquela pessoa exatamente o que ela deu; uma coisa porém é certa quando se trata da Lei da Atração: recebemos de volta aquilo que damos. Se você ficar sabendo que alguém prejudicou outra pessoa, sinta compaixão por quem foi prejudicado, mas não julgue ninguém. Se julgar alguém e achar que essa pessoa é má, não estará dando amor. E, ao pensar que alguém é mau, você estará na verdade se rotulando como mau. O que quer que você dê, é *você* que vai receber de volta. Quando emite sentimentos negativos sobre outra pessoa, pouco importando o que ela tenha feito, esses sentimentos negativos voltam para *você*! E voltam com a mesma força com que você os emitiu, gerando circunstâncias negativas em *sua* própria vida. *Não* existem desculpas para a força do amor!

> *"A vida que transcorre em amor por toda vida é plena, rica e está continuamente se expandindo em beleza e poder."*
>
> Ralph Waldo Trine (1866-1958),
> AUTOR DO MOVIMENTO NOVO PENSAMENTO

O amor é o poder do mundo

A força do amor não tem um oposto. Não há outro poder na vida além do amor. Não há uma força de negatividade. Em outros tempos, descrevia-se às vezes a negatividade como "o demônio" ou "o mal". Ser tentado pelo mal ou pelo demônio significava simplesmente ser tentado a cair em pensamentos e sentimentos negativos, em vez de se manter firme na força positiva do amor. Não existe uma força de negatividade. Existe apenas uma força, e esta é o amor.

Todas as coisas negativas que você vê no mundo são sempre manifestações da falta de amor. Quer a negatividade se manifeste numa pessoa, num lugar, numa circunstância ou num acontecimento, ela sempre decorre da falta de amor. Não existe uma força de tristeza; a tristeza é a falta da felicidade, e toda felicidade vem do amor. Não existe uma força de fracasso; o fracasso é a falta de sucesso, e todo sucesso vem do amor. Não existe uma força de doença; a doença é a falta de saúde, e toda saúde vem do amor. Não existe uma força de pobreza; a pobreza é a falta de abundância, e toda abundância vem do amor. O amor é a força positiva da vida, e *qualquer* condição negativa *sempre* surge da falta de amor.

Quando as pessoas chegarem ao ponto de dar mais amor que negatividade, verão a negatividade desaparecer do planeta com uma rapidez espantosa. Imagine só isso! Cada vez que você escolhe dar amor, seu amor está ajudando a elevar o mundo inteiro à condição de positividade! Algumas pessoas acreditam que, atualmente, estamos muito perto desse ponto. Estejam elas certas ou não, mais que nunca *hoje* é a hora de dar amor e positividade. Faça isso por sua vida. Faça isso por seu país. Faça isso pelo mundo.

> *"Quando o coração está no caminho certo, a vida pessoal é então cultivada; quando a vida pessoal é cultivada, a vida familiar é então regulada; quando a vida familiar é regulada, a vida nacional está então ordenada; e quando a vida nacional está ordenada, então há paz no mundo."*

Confúcio (551-479 A.C.),
FILÓSOFO CHINÊS

Você tem tanto poder no mundo porque tem muito amor para dar.

PRINCÍPIOS DO PODER

- *Tudo tem uma frequência — tudo! E o que quer que você esteja sentindo traz para sua vida tudo que estiver numa frequência semelhante à sua.*

- *A vida lhe responde. Ela se comunica com você. Tudo que você vê — cada letreiro, cor, pessoa, objeto —, tudo que ouve, cada circunstância e cada acontecimento está na sua frequência.*

- *Quando você está feliz, e continua feliz, só pessoas, circunstâncias e acontecimentos felizes podem surgir em sua vida.*

- *Não existem acidentes ou coincidências na vida — tudo é sincronicidade —, porque tudo tem uma frequência. Trata-se simplesmente da física da vida e do Universo em ação.*

- *Pense em algo que você adora e faça disso o seu símbolo da força do amor. Sempre que vir ou ouvir o seu símbolo, saberá que a força do amor está com você.*

- *Ponha a força do amor à sua frente em tudo que fizer. Imagine cada coisa no seu dia dando certo e sinta o máximo de amor possível dentro de si antes de fazer qualquer coisa!*

- *Todo dia faça várias perguntas. Quando você faz uma pergunta, está dando uma pergunta e deve receber a resposta!*

- *Utilize a força do amor para ajudá-lo em qualquer coisa que seja na vida. A força do amor será o seu assessor pessoal, seu gerente financeiro, seu* personal trainer *em termos de saúde, seu conselheiro de relacionamentos.*

- *Se sua mente estiver tomada por um excesso de detalhes, esses pequenos detalhes vão acabar por distraí-lo, baixando o nível dos seus sentimentos. Simplifique sua vida e não dê tanta importância às pequenas coisas. Que diferença elas fazem?*

- *A força do amor não tem um oposto. Não há outro poder na vida além do amor. Todas as coisas negativas que você vê no mundo são sempre manifestações da falta de amor.*

O PODER
E A VIDA

Um ser humano não pode se imaginar *não* existindo. Podemos imaginar nosso corpo não estando vivo, mas simplesmente não podemos nos imaginar não existindo. O que acha disso? Acha que é um acaso da natureza? Não é, não. Você não pode se imaginar não existindo, porque é impossível para você não existir! Se pudesse imaginar isso, poderia criá-lo, e eis aí uma coisa que você jamais poderá criar! Você sempre existiu e sempre existirá porque é parte da criação.

> *"Nunca houve um tempo em que eu não existisse, nem você, nem todos esses reis; e no futuro nenhum de nós deixará de existir. Assim como a alma corporificada passa da infância à juventude e logo à velhice, também passa a outro corpo depois da morte. Os sábios não se confundem com essas mudanças."*
>
> Bhagavad Gita (SÉC. V A.C.),
>
> ANTIGO TEXTO HINDU

O que acontece, então, quando uma pessoa morre? O corpo não vai para um estado de não existência, porque não existe tal coisa. Ele se integra aos elementos. E o ser que há dentro de você — o seu eu *verdadeiro* — tampouco deixa de existir. A simples palavra ser já indica que você será para sempre! Você não é um "ente" humano! Você é um ser eterno, vivendo temporariamente num corpo humano. Se deixasse de existir, haveria um espaço vazio no Universo, e o Universo inteiro cairia nesse espaço vazio.

O único motivo pelo qual não podemos ver outros seres que já deixaram esse corpo é que não podemos ver a frequência do amor. Também não podemos ver a frequência do raio ultravioleta, e a do amor, que é onde eles se encontram, é a frequência mais elevada que existe na criação. O mais possante equipamento científico do mundo não chega nem perto de poder detectar a frequência do amor. Mas lembre-se que você pode *sentir* amor. Portanto, se há alguém que você não pode mais ver, você pode senti-lo na frequência do amor. Você não pode senti-lo em tristeza ou desespero, porque tais frequências nem se aproximam da frequência em que ele está. Mas, quando você está nas mais elevadas frequências de amor e gratidão, pode perfeitamente senti-lo. Esses seres nunca estão longe de você, e você nunca está separado deles. Você está sempre conectado a *tudo* na vida pela força do amor.

O céu está dentro de você

> *"Todos os princípios do céu e da Terra vivem dentro de você."*
>
> Morihei Ueshiba (1883-1969),
>
> CRIADOR DA ARTE MARCIAL *AIKIDO*

Os textos antigos dizem que "o céu está dentro de você", e estão se referindo à frequência do seu ser. Quando deixa o seu corpo humano, você entra automaticamente na mais elevada frequência de puro amor, porque esta é a frequência do seu ser. Em outras épocas, essa mais elevada frequência de puro amor era chamada de céu.

Mas você precisa encontrar o céu aqui mesmo na vida e não quando seu corpo morrer. Precisa encontrar o céu aqui, enquanto está na Terra. E ele está efetivamente dentro de você, porque o céu é a frequência de seu ser. Encontrar o céu na Terra é viver a vida na mesma frequência que seu ser — puro amor e alegria.

Por amor à vida

"Não se trata de saber se você vai ou não continuar; é antes saber como vai desfrutar disso."

Robert Thurman (1941-),

ACADÊMICO E ESCRITOR BUDISTA

Você é um ser eterno. Tem todo tempo do mundo para vivenciar tudo. Não existe falta de tempo, porque você tem o sempre! Tem tantas aventuras pela frente, tantas coisas para vivenciar... e não apenas aventuras na Terra, porque, quando tivermos dominado a Terra, começaremos novas aventuras em outros mundos. Existem galáxias, dimensões e vidas que hoje não podemos nem imaginar, mas vamos vivenciar todas elas. E vamos vivenciá-las juntos, porque *nós* somos parte da criação. Daqui a bilhões de anos, quando observarmos a criação para ver nossa próxima aventura, haverá mundos e mais mundos, galáxias e mais galáxias e um número ilimitado de dimensões estendendo-se à nossa frente por toda eternidade.

Com tudo isso, não acha que você talvez seja um pouquinho mais especial do que sempre achou que fosse? Não acha que você talvez seja um pouco mais importante do que supunha? Você, todos os que você conhece e todos os que já viveram não têm fim!

Por que, então, você não abraça a vida e diz *obrigado*? Não está empolgado com a perspectiva das aventuras que tem pela frente? Não quer subir ao topo de uma montanha e, cheio de alegria, gritar *sim!* a uma vida sem fim?

O propósito de sua vida

> *"Você não tem motivo para o que quer que seja, a não ser para a gratidão e a alegria."*
>
> Siddharta Gautama, o Buda (563-483 A.C.),
>
> FUNDADOR DO BUDISMO

O propósito de sua vida é alegria e, a seu ver, qual é a maior alegria da vida? É dar! Se alguém me dissesse, seis anos atrás, que a maior alegria da vida é dar, eu teria respondido: "Para você é fácil dizer isso, eu estou lutando para sobreviver e mal consigo fazer o dinheiro chegar até o fim do mês, portanto não tenho nada para dar."

A maior alegria da vida é dar, porque se você não der estará sempre lutando para sobreviver. A vida será cheia de problemas, um atrás do outro, e quando você achar que as coisas estão começando a melhorar vai acontecer algo para atirá-lo de volta na luta e nas dificuldades. A maior alegria da vida é dar, e só há uma coisa que você pode dar — seu amor! Seu amor, sua alegria, sua positividade, seu entusiasmo, sua gratidão e sua paixão são as coisas mais verdadeiras e duradouras da vida. Todas as riquezas do mundo nem se comparam ao mais inestimável dos dons da criação — o amor que há dentro de você!

Dê o melhor de si. Dê seu amor porque ele é o ímã para *todas* as riquezas da vida. E sua vida será mais rica do que você jamais imaginou porque, ao dar amor, você está cumprindo o propósito de sua vida. Quando dá amor, você recebe tanto amor e alegria que chega a achar que é mais do que você poderia aguentar, mas você *pode* acolher um amor e uma alegria ilimitados, porque isso é o que você é.

> *"Algum dia, quando tivermos dominado os ventos, as ondas, as marés e a gravidade, utilizaremos as energias do amor. Então, pela segunda vez na história do mundo, o homem descobrirá o fogo."*
>
> *Pierre Teilhard de Chardin* (1881-1955),
>
> PADRE JESUÍTA E FILÓSOFO

Você chegou a esse mundo com seu amor, e ele é a única coisa que você vai levar consigo. Enquanto estiver aqui, sempre que escolher o positivo, sempre que escolher se sentir bem, estará dando seu amor e, com ele, iluminando o mundo. E tudo o que pode desejar, tudo com que pode sonhar, tudo que ama vai estar com você aonde quer que você vá.

Você tem dentro de si a maior força do Universo. E, com ela, *terá* uma vida maravilhosa!

O poder está dentro de você.

A origem

PRINCÍPIOS DO PODER

- *Você sempre existiu e sempre existirá porque é parte da criação.*
- *Você, todos os que você conhece e todos os que já viveram não têm fim!*
- *Encontrar o céu na Terra é viver a vida na mesma frequência que seu ser — puro amor e alegria.*
- *A maior alegria da vida é dar, porque se você não der estará sempre lutando para sobreviver.*
- *Seu amor, sua alegria, sua positividade, seu entusiasmo, sua gratidão e sua paixão são as coisas mais verdadeiras e duradouras da vida. Todas as riquezas do mundo nem se comparam ao mais inestimável dos dons da criação — o amor que há dentro de você!*
- *Dê seu amor porque ele é o ímã para todas as riquezas da vida.*
- *Enquanto estiver aqui, sempre que escolher o positivo, sempre que escolher se sentir bem, estará dando seu amor e, com ele, iluminando o mundo.*

Que o poder lhe traga amor e alegria
por toda sua existência.

Isto é o que desejo a você
e ao mundo.

Sobre a autora

A intenção de Rhonda Byrne é: *alegria para bilhões*.

Ela começou sua trajetória com o filme *The Secret — O segredo*, assistido por milhões de pessoas do mundo inteiro. Lançou, em seguida, o livro *The Secret — O segredo*, um best-seller internacional, atualmente traduzido em 46 idiomas.

Agora, com *The Power — O poder*, Rhonda Byrne dá continuidade a seu trabalho, revelando a única e maior força de nosso Universo.